La ciudad de
ZACATECAS

SECRETARÍA DE TURISMO

Norte

Sur.

niente

Fragmento del mapa elaborado en 1799 por
Bernardo Portugal, Alcaide de la Real
Aduana de Zacatecas.

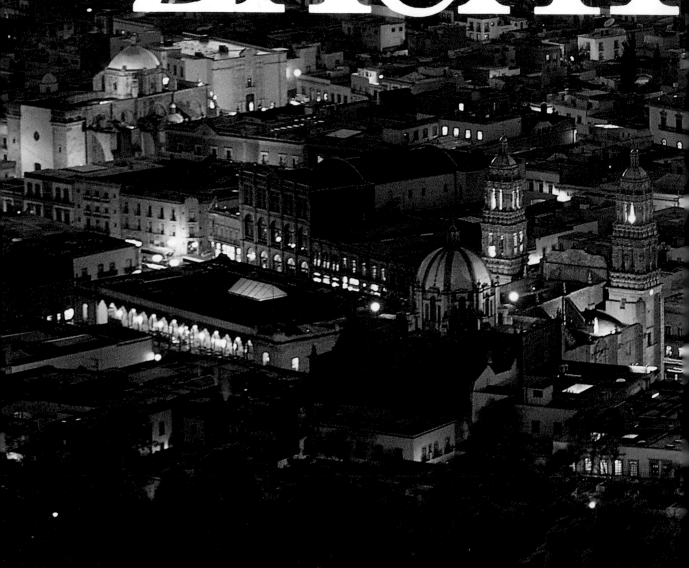

La ciudad de
ZACAT

ECAS

ZACATECAS
MEXICO

EDITOR

GRUPO
AZABACHE

**COORDINADOR POR PARTE DEL
GOBIERNO DEL ESTADO DE ZACATECAS**
Jaime Hugo Talancón

INVESTIGACION Y TEXTOS
Benjamín Rocha

FOTOGRAFIA
Ignacio Urquiza

PRODUCCION FOTOGRAFICA
María Angeles González

DISEÑO
Octavio de la Torre

© Gobierno del estado de Zacatecas

Primera edición, 1991
Primera reimpresión, 1992
ISBN 968-6084-38-X

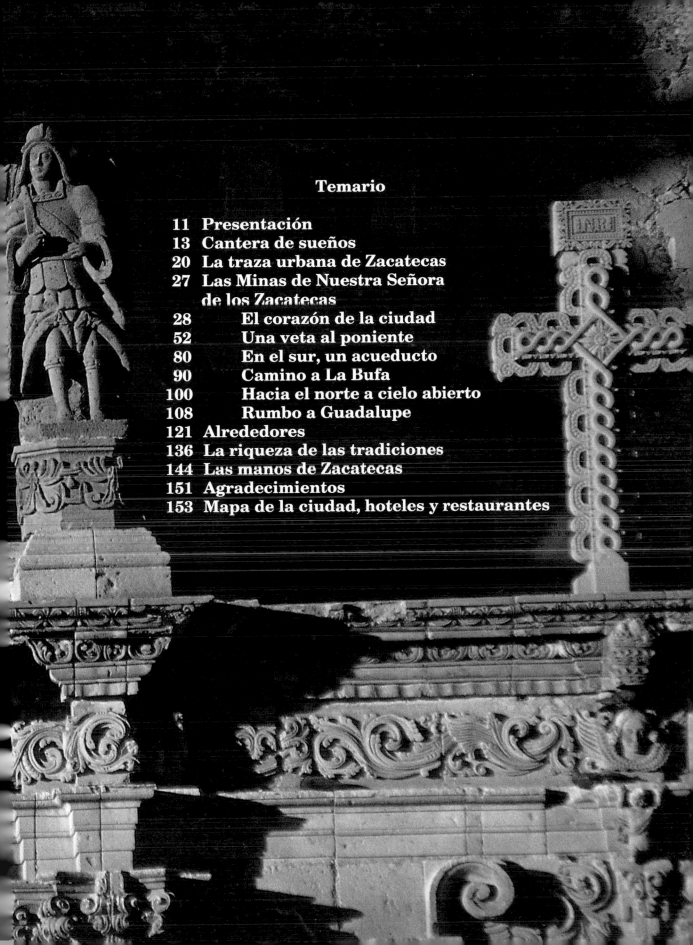

Temario

PRESENTACION

Una ciudad es, a la vez que un espacio, una dilatada costumbre que vamos adquiriendo a lo largo de los años. A veces, la ciudad se hace invisible, a fuerza de verla diariamente. En otras, la distancia nos la devuelve enriquecida por la pátina de la nostalgia. Cada quien tiene su ciudad entrañada en sí mismo y ella lo acompaña a lo largo del viaje de la vida.

Zacatecas ha sido, para los que nacimos en este estado y para aquellos que lo han visitado, un encuentro cotidiano con la belleza; aunado a esto, la magnificencia de sus construcciones, el amable misterio de sus calles y callejones, la vasta tradición de su historia y, sobre todo, la serena calidez de sus habitantes han dado a esta urbe su innegable lugar en México.

Y para México en primer lugar, y luego para el mundo, se ha hecho este libro, invitación a redescubrir nuestra capacidad de asombro. Porque no sólo de cantera está hecho el camino a Zacatecas, sino de asombro genuino, ahondado en el tiempo.

Lic. Genaro Borrego Estrada
Gobernador Constitucional
del Estado de Zacatecas

11

CANTERA DE SUEÑOS

Guillermo Tovar de Teresa

tu barro suena a plata..
Ramón López Velarde.

Zacatecas es un sueño. Sin exagerar, sin incurrir en alabanza fácil, podríamos matizar diciendo que es el resultado de diversos, complejos y casi desconocidos sueños.

Ese minúsculo punto en el espacio del norte mexicano, históricamente, fue zona de tránsito desde una antigüedad que puede antojarse milenaria pues, situado entre las dos sierras, era el punto menos abrupto para pasar hacia el Altiplano Central o para internarse en las rutas prehispánicas que conducían hacia el norte.

Pero las dimensiones de la tierra valen en tanto el hombre la conoce, cuando se apega a ella y se retira, cuando la geografía deja de ser escenario para la acción humana y se vuelve parte misma de la vida. Esa identidad del hombre con la tierra, nos trae a la memoria, rápidamente, la imagen de los chichimecas, los primeros pobladores de los que tenemos conocimiento cierto. Antiguos, inmemoriales, a quienes el mundo español, en su momento, les construyó su especial "leyenda negra" para justificar la guerra a fuego y a sangre, los chichimecas llegaron a desarrollar una verdadera sabiduría en lo referente a la vida en el desierto, a extraer de las plantas y frutos más ásperos el alimento y la bebida, a seguir el movimiento de la naturaleza, a reconocer los caminos de la tierra y los tiempos por el movimiento del sol, la luna, las estrellas. Un sueño.

En 1531 Nuño de Guzmán envió al capitán Pedro Almíndez Chirinos en pos de las Amazonas y llegó hasta Zacatecas, donde "tomó posesión casi haciendo burla de esta tierra", como dice la *Crónica miscelánea* de fray Antonio Tello, por el fracaso de su búsqueda y la pobreza que a sus ojos encontró. Pocos años después, a mediados de siglo, el sonido de la plata atraía la atención del mundo novohispano, sin que escapara a su magnetismo ningún personaje de la abigarrada sociedad en gestación. Pero apenas queda inaugurada la idea de Zacatecas y su recorrido por el tiempo, de la modificación de un entorno que rápidamente giró en torno a la plata, a los fabulosos yacimientos que casi a cielo abierto prodigaban su riqueza, cuando nos encontramos en otra vertiente de esa historia.

Sin duda alguna, la plata, fue uno de los grandes impulsos que empujaron la expansión española hacia el norte de la Nueva España, a pesar de encontrarse en el centro mismo de la Gran Chichimeca, el hábitat natural de zacatecos, guachichiles, pames, tepehuanes, los mejores flecheros del mundo según el decir de algunos cronistas que conocieron su habilidad y su indudable valor. Ambas virtudes, aunadas al profundo conocimiento de la tierra, permitieron mantener una guerra continua a lo largo de todo el siglo XVI con quienes invadían su ámbito natural: cazadores con instrumental del neolítico enfrentados a conquistadores con instrumental del mundo moderno.

Llevando por esos caminos armas, granos, crucifijos, aceites, azadas, vinos, terciopelos, libros, el despliegue de la cultura material europea llegaba hasta Zacatecas, a pesar de lo temprano de su fundación y la enorme distancia que la separaba de los grandes centros de abastecimiento, estableciendo rutas y relaciones que sobrevivieron a la misma Colonia. Tierra magra en sus frutos agrícolas, pagaba con plata el "acarreto" (acarreo).

Zacatecas constituía entonces, a la manera de como ocurrió en épocas anteriores aunque en otras condiciones, no una sino muchas fronteras: del espacio conocido, de la tierra de paz, del apego a las ordenanzas reales, del mundo de los indígenas sedentarios, de la vigilancia estricta de los principios de la iglesia, de la agricultura, de los asentamientos españoles, de la mezcla racial, de la pobreza. En dimensiones tan reducidas encontramos un proceso cultural tan complejo que, hasta este momento, todavía no han sido analizadas las distintas vertientes que lo componen. Así, por ejemplo poco sabemos de la vida cotidiana de miles de indígenas que pasaron por las minas, tanto dentro como fuera de ellas. Sorprendente masa humana de la que, a lo largo del tiempo, no sobrevivieron salvo poquí-

simos nombres y circunstancias. El mismo desconocimiento nos alcanza cuando queremos incursionar en las relaciones que mantuvieron los habitantes de Zacatecas, a lo largo de ese primer siglo, con el conjunto de instituciones coloniales.

De sus músicos, pintores, escultores, canteros —muchos de ellos indígenas—, médicos, barberos, comerciantes, casi nada se sabe, así como de la evolución del mestizaje en el entramado social. Pocas referencias tenemos de los luteranos que encontraron refugio en esta frontera (como Agustín Boecio) o la influencia del Alumbradismo español con la presencia del primer eremita de América, Gregorio López, asentado en las proximidades de las ruinas prehispánicas de La Quemada y viviendo en compañía de los chichimecas.

Frontera, también, porque el resultado de esa situación era una sociedad que marcaba un límite, a la vez que una profunda diferencia, con el resto de las ciudades surgidas en el Nuevo Mundo. La peculiaridad de Zacatecas radicó en un temprano carácter cosmopolita en donde indígenas americanos, esclavos africanos y colonizadores europeos produjeron una Babel en miniatura. Un sueño.

¿Qué decir de una tierra que en menos de un siglo, como escribió el obispo Mota y Escobar en 1604, pasó de ser "el más famoso coto de corzos, liebres, conejos, perdices y palomas que tenía ningún señor en el mundo, y así gozaban de los señores y caciques que lo poseían, cuya nación y vasallos se llamaban Zacatecos, de cuyo nombre se le quedó a esta Ciudad de los Zacatecas", a una naturaleza que quedó reducida a "unas palmillas silvestres [pues] otra cosa no ha quedado?" ¿Cómo responder a los estímulos de una tierra, casi convertida en yermo, para afirmar su presencia a lo largo de sus más de cuatro siglos de existencia como ciudad? No alcanza la experiencia individual a recorrer ese tiempo, pero su huella quedó impresa en sus piedras, en las instituciones de frontera que lentamente fueron modificándose —con un ritmo que al visitante produce la impresión de que el tiempo no cambia, o al menos lo hace sin la sensación de vértigo que provoca en otros sitios— y en la cultura que produjo desde sus escasos, pero siempre preciados, centros intelectuales.

La formación de un grupo de élite —compuesto por mineros que a la vez eran señores de tierras y ganados, capitanes y poseían un título o el hábito de alguna orden militar— corrió a la par que las misiones. Las haciendas zacatecanas, como casi todas en el territorio novohispano, integraron en su horizonte los valores que la sociedad del criollismo estaba formando, aunque resaltó más su añoranza por la lejana España antes que afincar su ideal en un proyecto que comenzara a dar cuerpo a la futura nación. Y el sobresalto provocado por el fantasma del mestizaje se perpetuó, siendo difícil establecer el momento en que fue conjurado.

Por otro lado, Zacatecas pudo construirse un dilatado territorio para la evangelización dentro del extremo norte del septentrión de la Nueva España, desde California a las entonces llamadas Provincias Internas en los actuales estados de Nuevo México y Texas en los Estados Unidos. Asiento de la provincia de San Francisco de Zacatecas de la orden seráfica, en el siglo XVIII funda su convento de Propaganda Fide de Nuestra Señora de Guadalupe, desde donde saldrían las misiones a tierras de infieles, en un siglo en el que una nueva etapa misionera de la iglesia cobraba fuerza.

Entonces sus edificios le dieron la fisonomía que ahora tanto nos admira. Su arquitectura religiosa cuenta con el magnífico aunque arruinado convento de San Francisco, del siglo XVII, con su bella iglesia con portada barroca sobria y el conjunto convertido en el Museo Rafael Coronel; Santo Domingo, antiguo solar de los jesuitas, con su templo realizado en 1746-1749 por Cayetano de Sigüenza, y sus retablos, obra de Felipe de Ureña y su yerno Juan García de Castañeda, muestra al lado el antiguo colegio de San Luis Gonzaga, hoy Museo Pedro Coronel; San Agustín, cuya iglesia podría ser obra de Andrés Manuel de la Riva, el autor de La Valenciana, en Guanajuato, y su bello convento barroco; su Catedral, con la portada más bella y exuberante del barroco de todo el orbe y su arquitectura civil, recia y maravillosa.

¡Tantos monumentos, nombres y acontecimientos debemos guardar en el tintero por el brevísimo espacio de que disponemos! Imposible remembrar por completo, siquiera uno, en estas páginas. Más bien, en descargo nuestro, queda la invitación para adentrarnos con detenimiento en un territorio duro, áspero, metálico, noble y leal —como indica el mismo título de la ciudad, otorgado por Felipe II—, y ahondar con delicadeza en su historia, pues su material es frágil, añejo, difícil de encontrar en una primera mirada, escurridizo. Como un sueño.

LA TRAZA URBANA DE ZACATECAS

Raúl Toledo Farías

> Una ciudad es un mundo
> si amamos a alguno de sus habitantes.
>
> Lawrence Durrell
> *El cuarteto de Alejandría*

La ciudad, además de ser un emplazamiento geográfico, una estructura administrativa y un espacio físico que alberga a una sociedad, es también testimonio y motor de los actos de vida.

Somos nuestras obras y la ciudad es obra del hombre, el cual a su vez es modificado por ésta. La ciudad de Zacatecas mantiene aún su escala humana, propiciando con ello que sus habitantes vivan plenamente y disfruten sus recintos urbanos, que en general nos presentan fuertes y dramáticas articulaciones; en esta ciudad las distancias medidas horizontalmente son cortas; sin embargo, las pronunciadas pendientes producen efectos de perspectiva de gran interés, que las amplían.

El gran cuenco que es ahora la ciudad mantiene en gran medida la unidad formal, definida por la superposición escalonada de volúmenes que trepan sobre las laderas de los cerros que la circundan; este conjunto aparentemente abigarrado cuenta con un volumen de referencia, el cerro de La Bufa, que desde su altura domina el paisaje y que aparece en el escudo de armas concedido por el rey Felipe II a nuestra ciudad.

La mayor parte de las perspectivas urbanas tienen un remate sorpresivo, tanto por abruptos quiebres como por plazuelas y ensanchamientos con paramentos que no siempre son paralelos; con esto, la profundidad de las perspectivas se modifica de manera peculiar.

El paso humano es la medida que define los espacios urbanos; es tal vez por esta razón que los automóviles parecen siempre fuera de lugar, y su circulación es en general lenta, imprimiendo un ritmo especial a las actividades.

La situación actual de la ciudad de Zacatecas nos muestra un largo proceso de adecuación formal y funcional que se inicia el ocho de septiembre de 1546, cuando se establecen en este territorio los miembros de la expedición comandada por Juan de Tolosa, que había partido de Guadalajara en el mes de agosto de 1546 por órdenes de Cristóbal de Oñate, a la sazón Gobernador de la Nueva Galicia.

Establece Juan de Tolosa su campamento militar a los pies del cerro de La Bufa, en donde se resguardaron pequeños grupos de indios zacatecos, a los que convenció que se rindieran sin el uso de las armas.

En sus inicios, Las Minas de Nuestra Señora de los Zacatecas —como se denominó este asentamiento— no constituyó una ciudad propiamente dicha; en todo caso, se construyeron rudimentarias casas en la cercanía de las ricas minas de plata, razón y origen de esta ciudad. La traza urbana fue producto, más de las necesidades prácticas y las condiciones topográficas del emplazamiento, que de ideas geométricas.

La arquitectura de este campamento minero ocupaba un lugar secundario en los intereses de los primeros pobladores españoles; en todo caso, los peculiares efectos estéticos de esta traza tan irregular provienen de la adecuación de los recintos urbanos a las condiciones del terreno. La fundación original se ubicó en la zona norte de la ciudad, y su desarrollo posterior siguió aproximadamente el cauce del Arroyo de la Plata, provocando un eje sinuoso de dirección norte-sur, el que es actualmente eje principal de la ciudad. En los siglos XVI, XVII, XVIII y XIX, se produjo mediante estratificaciones sucesivas el desarrollo de lo que es actualmente el Centro Histórico de Zacatecas.

Buena parte de los edificios históricos nos muestran modifi-

caciones acordes con las circunstancias económicas y culturales que sufría la ciudad en cada etapa; de esta manera encontramos casonas del siglo XVIII remodeladas con flamantes fachadas neoclásicas a la moda del XIX, como reflejo del estatus económico de sus nuevos moradores.

La Zacatecas actual constituye sin duda un fiel reflejo de las instancias y vicisitudes que ha confrontado nuestro país —especialmente la provincia— en el curso de su larga historia. Nuestra ciudad es eminentemente mestiza; los rastros indígenas están atenuados debido a que las culturas autóctonas no tuvieron el alto grado de desarrollo de las sureñas. Es una ciudad de frontera cultural, punto de partida de las empresas de evangelización hacia todo el noroeste del territorio del México actual y gran parte de las regiones del sureste de los Estados Unidos.

La arquitectura es sólida e introvertida —como corresponde a un clima más bien frío—, las calles y plazas son irregulares y con perspectivas cortas, la vegetación constituye un lujo inesperado; estos elementos responden al carácter de los habitantes del altiplano norte, ajenos del todo a la exuberancia y expresividad de nuestros paisanos del trópico. Terreno de enormes planicies, parece que las ciudades quisieran asir y retener el espacio mediante quiebres sorpresivos de los recintos urbanos. Una mesurada elegancia modela la arquitectura zacatecana; calles más a la medida del hombre que del automóvil —mal necesario de nuestra época— propician el contacto cercano entre sus habitantes.

El gran libro de piedra, cantera y adobe de nuestra ciudad nos permite leer en sus viejas páginas la historia, los aciertos y desaciertos de las distintas épocas, de nuestra gente y sus altibajos económicos.

La apreciación y disfrute de los recintos urbanos solamente es posible desde el tranquilo paso del caminante, que nos permite apreciar los finos detalles de cantera y hierro; ciudad de pronunciadas pendientes y escalinatas, ignora a veces la prisa de los vehículos motorizados en beneficio del hombre. Las cortas perspectivas magnifican las proporciones de nuestros más venerables monumentos; la Catedral Basílica sobresale de forma majestuosa en un breve espacio que solamente se amplía desde ciertos ángulos para descubrir nuestro cerro emblemático, La Bufa, punto de referencia necesario para la comprensión de esta ciudad.

Durante casi cuatro y medio siglos, Zacatecas permanece aferrada a su geografía, con periodos de esplendor y decadencia ejerciendo la difícil labor minera y sujeta a los imprevisibles cambios de esta actividad.

Las relaciones entre la ciudad y sus moradores obedecen a una lógica adecuación de funciones, su escala y proporciones modelan la conducta social, acentuando el concepto de unidad, inexistente en las grandes urbes. Zacatecas aún está cercana al ideal aristotélico de ciudad al contar con una estructura territorial perfectamente delimitada, un conjunto de funciones y un orden político al servicio de la población. Por contraposición, nuestras grandes ciudades no constituyen unidades política y socialmente viables al ser más bien conjuntos contiguos de asentamientos no siempre integrados orgánicamente; las *metrópolis* —madres de ciudades en el concepto griego— son un producto relativamente reciente del acelerado proceso de urbanificación que ha dividido a la humanidad en rural y urbana.

En Zacatecas las relaciones entre el entorno rural y el urbano se dan en un marco de cambio gradual, carente de fuertes contrastes y logrado de una manera armoniosa; de igual manera, la transición entre las diversas zonas de la ciudad mantiene una gran unidad, dado que no existen las grandes edificaciones que caracterizan a muchas de nuestras ciudades. Se debe destacar el hecho de que no todas las edificaciones del Centro Histórico de Zacatecas tienen igual categoría estética y estilística; sin embargo, el conjunto conserva gran unidad visual debido, entre otras razones, al cuidado que se ha tenido durante más de 25 años en la preservación de la unidad estilística y tipológica, amén de la ausencia de anuncios comerciales agresivos.

En suma, Zacatecas es un ejemplo de la ciudad mexicana de provincia, que aún conserva su carácter y espíritu y cuyo reciente desarrollo no se ha realizado a expensas de la destrucción de su patrimonio cultural. Para Zacatecas, los términos crecimiento y desarrollo no son sinónimos, pues se busca en el segundo la satisfacción de las necesidades, tanto físicas como espirituales, de sus moradores.

LAS MINAS DE NUESTRA SEÑORA DE LOS ZACATECAS

A la vuelta de una calle, al final de un empinado callejón que nos recuerda nuestra medida humana, en el primer golpe de sol o en la última brisa de la noche, Zacatecas siempre tiene un regalo para cada uno de los cinco sentidos. Como en las minas novohispanas, algunos surgen al primer golpe de vista; otros, luego de atentas búsquedas. Todos son duraderos y perviven en la memoria para siempre. Cubiertos por el cielo zacatecano, los pasos en esta ciudad entrañada en cantera son el único camino que hay que seguir.

Sin embargo, sugerimos seis recorridos que guiarán al visitante para que en propia mano se le entreguen algunas de las vastas riquezas zacatecanas. Los dos primeros se concentran en el corazón de esta ciudad añosa; el tercero y el quinto, nos llevan a los extremos sur y norte, respectivamente, de la urbe. El cuarto nos conduce hasta el símbolo de la ciudad de Zacatecas: La Bufa; finalmente, el sexto nos traslada hasta el Museo de Guadalupe. En este último, el tiempo de llegada se refiere a un paseo hecho en automóvil; en los otros, a paseos hechos a pie desde la Catedral.

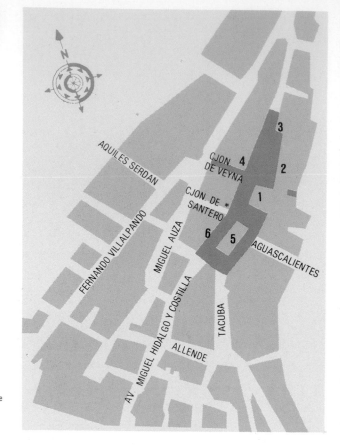

* Oficina de Turismo

1. Catedral
2. Palacio de Gobierno
3. Excasa de los
   Gobernadores
4. Palacio de Mala Noche
5. Mercado Jesús
   González Ortega
6. Teatro Calderón

Catedral

Centro de la ciudad
Tiempo de recorrido: 30 minutos

Principio ideal de una visita a Zacatecas es sin duda su Catedral; en ella, los elementos formales del barroco europeo se transforman y adquieren, acaso como en ninguna otra construcción novohispana, originalísima personalidad. En sus muros se guarda una historia de siglos, alimentada con el esfuerzo de los zacatecanos y con la fe vertida en el trabajo minucioso de la piedra.

Largos años tuvieron que pasar para que esta magnífica obra se edificara. Su historia comienza en 1707 cuando se erige, en parte del terreno que actualmente ocupa la Catedral, una capilla dedicada al Santo Cristo. Años después, el cin-

co de mayo de 1718, el obispo de Guadalajara, fray Manuel Mimbela, concede la licencia para erigir la nueva iglesia parroquial de Zacatecas, de la cual se coloca la primera piedra el ocho de septiembre de ese mismo año.

Hacia 1720 y por intervención del Conde de Santiago de la Laguna, se levanta la capilla de la Virgen de los Zacatecas, que fue demolida en 1731, cuando se decidió hacer de los tres templos existentes uno solo. De esta capilla sólo se conserva la portada, que es la que hoy mira al sur de la ciudad.

El proyecto de la Catedral se gestó entre 1720 y 1731. Se desconoce el nombre del arquitecto que creó el diseño; pero, a juzgar por los resultados, fue alguien con vastos conocimientos no sólo arquitectónicos sino iconográficos, amén de un gusto exquisito.

La construcción se inició el 25 de abril de 1729; sin embargo, los

trabajos se vieron interrumpidos por un incendio ocurrido en 1736. Habrían de pasar nueve años para que la fachada principal se terminara. Ante el adelanto de los trabajos, el quince de agosto de 1752 se llevó a cabo la dedicación del templo. Faltaban todavía por terminar el retablo mayor, varios colaterales y las torres; de éstas, la sur fue terminada en 1785, en tanto que la norte no se concluyó sino hasta el año de 1904.

En el transcurso de su edificación, otros elementos se fueron incorporando a la Catedral; uno de los más sobresalientes fue la campana mayor, llamada San Buenaventura, que repicó por vez primera el 21 de diciembre de 1790. En 1841 el obispo de las Californias, fray Francisco García Diego realizó la consagración litúrgica del templo. Sin embargo, los imprevistos continuaban y hubo que demoler, en 1845, la cúpula original, que había sido

dañada por un rayo; tres años más tarde se terminaría la que hoy puede admirarse.

Mientras tanto, el número de feligreses crecía; fue así como en 1859 se creó, por mandato del Papa Pío IX, la diócesis de Zacatecas; con ello, el antiguo templo parroquial quedó elevado al rango de catedral. Cien años después, el Papa Juan XXIII habría de elevarla a la categoría de basílica.

Junto a su destacado papel en la vida religiosa zacatecana, la Catedral ocupa también un lugar relevante en la historia del arte mexicano. Su arquitectura es la magnífica expresión en piedra de conocimientos teológicos y arquitectónicos, unidos en una sola manifestación.

La portada sur, dedicada a la Virgen de los Zacatecas, es también de una gran belleza. Ahí el trabajo de la cantera es más minucioso y su composición es más clásica que en la fachada norte. Destaca el rico tallado de las columnas del segundo cuerpo que enmarcan espléndidamente a la Patrona de la ciudad, así como el sencillo marco de la puerta que permite el acceso al templo.

Mención aparte merecen las torres, debido a sus armoniosas y esbeltas proporciones. Compuestas por dos cuerpos y un remate, en cada una de ellas se abren 16 campaniles; enriquecen sus esquinas pilastras de singular belleza.

Sin embargo, lo que ha provocado la admiración de propios y extraños desde el momento de su terminación y hasta el presente es su fachada central, que mira al occidente, no sólo por su riqueza iconográfica sino por la destreza en el tallado de la piedra, habilidad tan grande que aún hoy los canteros zacatecanos son los más afamados del país.

En la fachada principal se rinden honores a la Eucaristía; si bien todo el conjunto puede ser interpretado como una enorme custodia, en la clave del óculo, ubicada en el centro mismo de la monumental composición, es más patente ese culto, pues ahí se encuentra un ángel sosteniendo una custodia. En la cima del complejo aparece Dios Padre cubierto por una gran corona de talla hueca.

Cristo, rodeado por sus apóstoles, preside el tercer cuerpo de la portada. De sus doce discípulos, sólo seis presentan elementos suficientes para identificarlos. En las hornacinas del primer cuerpo de la portada se encuentran Santiago el Mayor, San Pedro, San Pablo y Andrés. Arriba, en el segundo cuerpo, al lado norte de la ventana del coro, está Juan; finalmente, en el tercer cuerpo, Simón muestra la sierra con la que fue martirizado.

Los Padres de la Iglesia no han sido olvidados, pues la estructuración del pensamiento cristiano en ellos alcanzó pleno desarrollo. En la fachada principal, en las enjutas del gran rosetón de la ventana del coro, se encuentran representados, como eterno homenaje, los cuatro principales Padres Latinos: San Gregorio Papa, San Jerónimo, San Agustín de Hipona y San Ambrosio de Milán.

Dos figuras, situadas en lados opuestos, completan la composición. Arriba, en el remate de la fachada, Dios Padre, rodeado de ángeles, bendice al conjunto. Abajo, en la clave del arco de la puerta, la Virgen, también rodeada de ángeles, recibe al feligrés que llega al templo.

Junto a estas representaciones no faltan los símbolos preñados de antiguos y ricos significados, como las conchas o las uvas, memorias del bautismo de Jesús o de su sangre.

La fachada lateral que mira al norte es de una sencilla belleza.

Presenta una escena tradicional en la iconología cristiana: Jesús, acompañado por su madre y San Juan, padece el suplicio de los crucificados. Sin embargo, la disposición escenográfica de los elementos, el estatismo de la Virgen y el Apóstol favorito, así como la tela que enmarca la figura del Redentor, nos remiten —más que a la Pasión en el Gólgota— a las figuras que habitan los altares de las iglesias novohispanas. En esto, así como en el magnífico tallado de la cantera, sobre todo la del monumental Cristo que preside la composición, radica buena parte de la singularidad de esta fachada que cierra el lado sur de la Plaza de Armas.

Muchas otras riquezas se conservan en la Catedral de Zacatecas: esculturas, piezas de orfebrería, mobiliario; pero uno de los tesoros más importantes de esta edificación es el sobrio espacio interior, que se ha distribuido sabia, armoniosamente, y que sólo sumergiéndose en él, puede ser percibido.

La fachada norte de Catedral rememora los últimos instantes de la Pasión imitando la serena belleza de los altares. En el interior del templo, la luz es elemento primordial que predispone al espíritu para la meditación. Al salir, la vida civil irrumpe y se desborda por calles y callejones, como el de las Campanas que se formó al encontrarse, una vez más, las arquitecturas civil y religiosa.

Palacio de Gobierno

Centro de la ciudad
Tiempo de recorrido: 30 minutos
Horario: Lunes a viernes
de 10 a 18 horas

Ubicado en la parte central de la Plaza de Armas, este edificio, sede del poder ejecutivo local, data de principios del siglo XVIII.

Fue habitación de dos miembros distinguidos de la realeza virreinal zacatecana: el Maestre de Campo don Vicente de Zaldívar y Mendoza, hijo del conquistador del mismo nombre, y Doña Ana Temiño de Bañuelos, hija de uno de los fundadores de la ciudad. Sus descendientes ocuparon esta construcción durante generaciones.

En el siglo XVIII, a iniciativa de D. José de Rivera Bernárdez, se aumentó el terreno donde se hallaba este inmueble; también se realizaron obras de remodelación, entre las cuales destaca el levantamiento de un oratorio dedicado a la Virgen de los Remedios, la cual permaneció aquí hasta el año de 1795 cuando se llevó hasta el santuario del cerro de La Bufa.

A comienzos del siglo XIX el palacio pertenecía a don Miguel de Rivera, Tercer Conde de Santiago de la Laguna. Por ser simpatizante de la causa insurgente, el inmueble le fue incautado por las fuerzas realistas. Luego de la consumación de la Independencia, la propiedad pasó de nuevo a sus legítimos herederos. Es entonces cuando Pedro de Rivera tomó posesión del edificio. El nuevo gobierno, empero, contrató con D. Pedro de Rivera el arrendamiento del Palacio, para convertirlo en la Dirección General de Rentas, la Secretaría de Gobierno y los Almacenes del Estado. En 1834, pasó a ser propiedad del gobierno; desde entonces y hasta la fecha es sede del ejecutivo estatal.

Si bien la sobria belleza del inmueble es motivo suficiente para admirar su patio y recorrerlo por entero, hay que mencionar que uno de sus atractivos principales está en el cubo de la escalera principal. Ahí puede verse un mural realizado en 1970 por el pintor zacatecano Antonio Pintor Rodríguez. En esa obra se han representado las distintas etapas históricas que ha vivido el estado de Zacatecas, desde la etapa indígena hasta el México actual.

Las culturas indígenas de La Quemada y Chalchihuites se hallan reflejadas, lo mismo que algunas de las tribus que habitaban la región antes de la llegada de los españoles, como Tepehuanes, Zacatecos, Huachichiles, Irritilas y Caxcanes. Junto a ellos se aprecian las efigies de los fundadores de la ciudad de Zacatecas: Juan de Tolosa, Cristóbal de Oñate, Diego de Ibarra y Baltazar Temiño de Bañuelos, así como la del primer franciscano que predicó en Zacatecas: fray Jerónimo de Mendoza. No se han olvidado tampoco hacendados y mineros, ni destacados personajes de la vida cultural a lo largo de la historia de Zacatecas.

Complementa el mural un relieve en cantera donde se representa a la ganadería y a la minería primitiva junto con la moderna tecnología minera; tras ellas, la industria del estado y luego los principales productos agrícolas de la región, presentes siempre en la vida cotidiana del estado.

El Palacio de Gobierno preside con su fachada la Plaza de Armas de la ciudad; en su interior, el espacio del patio es contenido por un rico trabajo de arquería. Junto a estas líneas, se aprecia la que fuera hasta 1950 residencia de los gobernadores; arquitectura singular en el marco del paisaje urbano de Zacatecas.

40

Uno de los lugares más atractivos de Zacatecas es el Palacio de Mala Noche, cuya blanca fachada se ve enriquecida por las típicas ventanas y balcones zacatecanos. A un lado del edificio corre el Callejón de Veyna, por el cual se asciende al templo de Santo Domingo.

Palacio de Mala Noche

Centro de la ciudad
Tiempo de recorrido: 20 minutos
Horario: Lunes a viernes de 9 a 18 horas

En el centro de la ciudad, frente a la Plaza de Armas, se encuentra este edificio que fuera propiedad de don Manuel de Rétegui, vasco de origen y que llegó a Zacatecas en busca de fortuna a fines del siglo XVIII. Tenaz y esforzado, supo encontrar nuevas vetas en la mina de Mala Noche, para muchos ya agotada. Esa mina dio a este hombre una vasta fortuna, misma que invirtió en haciendas de beneficio minero y en actividades comerciales; pero también supo recompensar a sus trabajadores con rara generosidad para aquella época. Fue además promotor de innumerables obras de beneficio social. Por ello, a la admiración por sus riquezas se unió el cariño que suele despertar la bonhomía.

Tras la Independencia, y ante el clima de inseguridad política que se respiraba, don Manuel decidió regresar a España, donde murió. Sus bienes fueron comprados por otros mineros acaudalados o por el gobierno independiente; este último adquirió la que fuera casa de don Manuel, a la que por analogía con la mina de su propiedad se le había venido llamando desde tiempo atrás Palacio de Mala Noche.

En esta construcción es notable la sabia distribución de los espacios, de los cuales destaca el amplio patio. Aún se conserva la puerta que da al actual callejón de Veyna, por donde se dice que salía don Manuel con sus riquezas, pero que en realidad es una ingeniosa solución a la necesidad de salir a la calle desde la planta alta de la casa.

Durante mucho tiempo fue sede del Congreso local. En 1985 dejó de serlo para alojar a las oficinas del poder judicial del estado de Zacatecas, función que hasta la fecha desempeña.

41

Mercado Jesús González Ortega

Ubicado a un costado de Catedral, en el centro de la ciudad
Tiempo de recorrido: 20 minutos

PAGINAS ANTERIORES. Las majestuosas columnas de hierro forjado del Mercado González Ortega, herencia del siglo XIX.

El Mercado González Ortega es hoy uno de los ejes de la vida comercial de Zacatecas; en él se conservan objetos del México de antaño, junto a tradicionales productos de la región.

Como en todos los grandes asentamientos humanos, el comercio fue una de las actividades más importantes de la Nueva España. Aun antes de la llegada de los españoles a América la presencia de los mercados fue siempre indispensable y fructífera, pues no sólo eran lugares de intercambio o compra de mercancías, sino ejes de intensa vida social. Durante la Colonia, la intensa actividad minera, agrícola y ganadera de Zacatecas propició muy pronto la creación de mercados, los cuales no contaban con locales destinados al comercio sino que se establecían a modo de tianguis o mercado ambulante.

Por su posición estratégica Zacatecas fue centro de comercio importantísimo. Mercancías de distintas partes de la Nueva España y del mundo llegaban a este centro minero. Para su distribu-ción se colocaban en el sur de lo que era la parroquia y hoy es Catedral.

Hacia 1804 se edificó un local que fue mucho tiempo el mercado de la ciudad; a este inmueble se le conoció con el nombre de "La fábri-ca". Posteriormente se destinó a escuela, luego fue la presidencia municipal y actualmente es la Bi-blioteca Mauricio Magdaleno.

Posteriormente y ya durante la República restaurada se creyó con-veniente dotar a la ciudad de un centro donde la compra y venta de mercancías se efectuara en forma organizada. Es entonces cuando se comienza a construir un mercado en lo que se conocía como Plaza Mayor. La obra, hecha con escasos recursos y que consistía en dos simples galerones, se inició en 1861 y estuvo a cargo del ingeniero Juan Corriston.

El edificio que ahora se ve y que

es un moderno pero a la vez tradicional centro comercial, es obra del ingeniero Carlos Suárez Fiallo. El 15 de septiembre de 1886 se colocó la primera piedra del edificio y tres años después se inauguró. Durante cierto tiempo los comerciantes se resistieron a dejar sus antiguos lugares de venta, pues creían que perderían clientela; finalmente decidieron ocupar el nuevo local. En la parte alta del inmueble se acondicionó el espacio para hacer kermeses. Todavía en 1899 se le seguían haciendo mejoras, principalmente de carácter sanitario.

La desgracia llegó en 1901 cuando el mercado se incendió. Sin embargo, gracias al tradicional tesón de los zacatecanos, se restauró rápidamente. Las obras se terminaron el 22 de septiembre de 1902, pero se inauguraron el 5 de febrero del año siguiente. La planta alta,

que está al nivel de la actual calle Hidalgo, se dedicó a la venta de varias mercancías; en tanto la baja, a la que hoy se accede por Tacuba, se destinó a bodegas y almacenes.

A partir del 5 de septiembre de 1921 se le llamó oficialmente Mercado General Jesús González Ortega. Desde entonces se le han practicado constantes remodelaciones, incrementadas a partir de 1982. La más importante, quizá, fue la creación de la Plaza Francisco Goitia, donde cada semana se presentan espectáculos al aire libre y son el punto de partida —o de llegada— de las tradicionales callejoneadas de los sábados. Durante la gestión del gobernador Guadalupe Cervantes Corona se desalojó el mercado, que ya resultaba inconveniente, y se transformó el local en el moderno centro comercial que hoy puede visitarse.

A unos pasos del Mercado González Ortega se encuentra la Fuente de los Faroles, que ilumina la plazuela de Tacuba.

Con las escalinatas como gradas, la Plaza Goitia, ubicada a un costado del Mercado González Ortega, es frecuente escenario de espectáculos artísticos. Frente a ella se levanta el Teatro Calderón, eje de una buena parte de la vida cultural de Zacatecas. Dentro de este recinto, los detalles de iluminación y decorado hacen la estancia, aun en los entreactos, cálida y grata.

Teatro Calderón

Centro de la ciudad
Tiempo de traslado desde el centro:
5 minutos
Tiempo de recorrido: 20 minutos

Situado en pleno centro de la ciudad, este teatro, erigido en honor del ilustre literato Fernando Calderón, posee una dilatada tradición en la vida cultural zacatecana y fue uno de los ejes de la vida social durante el Porfiriato.

Desde fines de la Colonia, Zacatecas tuvo necesidad de un foro que permitiera a sus habitantes tener acceso a los grandes espectáculos de la época, sin necesidad de trasladarse a otros lugares. Con la llegada del México independiente y su cúmulo de libertades, esta necesidad se hizo imperiosa.

Hacia 1832 se comenzó a promover la construcción de un teatro de grandes dimensiones, el cual, gracias a colectas públicas además de fondos del gobierno, se comenzó a edificar por ese mismo año. En 1834 el nuevo teatro quedó concluido y comenzaron a ofrecerse conciertos, óperas y representaciones teatrales.

Dada la necesidad de preservar este lugar de reunión de todos los interesados en la cultura se creó,

en 1840, una junta que habría de encargarse del mantenimiento y protección del inmueble. A partir de entonces muchas compañías lo visitaron y fue uno de los escenarios preferidos de la gran cantante Angela Peralta, quien actuó en él por vez primera en 1866.

Treinta y tres años después el teatro se incendió y de él sólo quedaron cenizas sobre escombros. No obstante, y haciendo honor al lema del escudo zacatecano "El trabajo todo lo vence", al año siguiente del siniestro se iniciaron las labores de nivelación, rebaje y descombro.

La ceremonia de colocación de la primera piedra del nuevo edificio tuvo lugar el cinco de mayo de 1891. Los planos del nuevo teatro fueron elaborados por el arquitecto Geo King, quien concluyó la obra en 1897. En el primero de los tres pisos del inmueble se construyó un gran salón llamado *Foyer* del Teatro Calderón, el cual se destinó a centro de reunión durante los entreactos o después de las funciones, y fue además escenario de grandes saraos.

El cinematógrafo llegó a Zacatecas muy pronto. Así, en 1902 se comenzó a usar el Teatro Calderón para la exhibición de las primeras películas que circularon en nuestro país. En ellas se ofrecían vistas de

En la escalera se aprecia un delicado trabajo tanto en la madera como en el bronce de los arbotantes; elementos que dotan al Teatro Calderón de una singular atmósfera.

tipos y costumbres mexicanas y de diversos paisajes zacatecanos. Desgraciadamente estas funciones trajeron consigo el deterioro del teatro, debido no sólo a la afluencia de público sino al mal uso que éste hizo del recinto. Por ello, se prohibió la proyección de películas; pero el entusiasmo del público por el nuevo espectáculo hizo que tal medida no prosperara.

En 1916 el teatro quedó fuera de la protección del Estado, y pasó a diversas manos en años subsecuentes. En la actualidad está a cargo de la Universidad Autónoma de Zacatecas, que además de haber conservado y mantenido las instalaciones, ha convertido al Teatro Calderón en uno de los principales centros generadores de cultura de la ciudad.

Muchas actividades se llevan a cabo en el interior de sus muros. La principal, desde luego, es la constante presentación de grupos de danza y teatro, además de la organización de conciertos. Por otra parte, en lo que es el *Foyer* se realizan presentaciones de libros de la más diversa índole, así como ciclos de conferencias y mesas redondas.

En el tercer piso de las oficinas contiguas al foro se imparten clases de danza y talleres de teatro y poesía. El vestíbulo está dedicado a presentar exposiciones temporales, lo mismo de autores jóvenes que de reconocidos maestros.

No debe olvidarse que en este lugar se resguarda el acervo de la pinacoteca de la Universidad Autónoma de Zacatecas que, si bien no tiene un salón propio, presenta periódicamente en el teatro o en otros lugares parte de sus riquezas. Entre éstas se encuentran obras de Juan Correa y Juan Cordero (desde hace veinte años resguardadas en el templo de San Agustín), del singular retratista zacatecano Manuel Pastrana, así como de Severo Amador, Vlady y Roberto Montenegro.

Asimismo, en el tercer piso del foro existe una excelente colección de animales disecados, propiedad del Museo de Historia Natural de la Universidad Autónoma de Zacatecas. Originalmente esta colección —de origen francés— ocupaba el *Foyer*; sin embargo, al destinarse este recinto para otros fines, las piezas se trasladaron a su actual emplazamiento. Ahí se observan, con impresionante realismo, reptiles, mamíferos, peces y aves, de especies raras e incluso extintas.

49

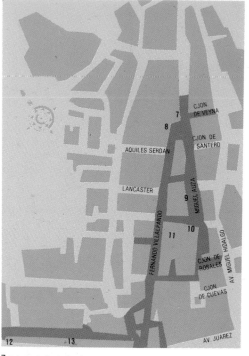

7. Iglesia de Santo Domingo
8. Museo Pedro Coronel
9. Casa de Moneda
10. San Agustín
11. Congreso del Estado
12. Unión Ganadera
13. Alameda Trinidad García de la Cadena

PAGINAS ANTERIORES.
Catedral y Santo Domingo,
pilares de la espiritualidad
zacatecana.

Santo Domingo suplió en
sus funciones a la Catedral,
mientras se realizaban en
ésta labores de reparación.
Su imponente arquitectura
de noble presencia, se
enriquece a diario con la
visita de la luz del sol.

Iglesia de Santo Domingo

Centro de la ciudad
Tiempo de traslado desde el centro:
5 minutos
Tiempo de recorrido: 15 minutos

A poco de su llegada, acaecida en 1574, los jesuitas establecieron un templo que fue construido gracias al patrocinio de don Vicente Zaldívar y Mendoza y de su esposa, doña Ana Temiño de Bañuelos, quien era hija de uno de los fundadores de Zacatecas. Esa iglesia tenía una sola nave y poseía doce cuadros del pintor Luis Juárez, de los cuales se conservan dos en el Museo de Guadalupe.

El templo que hoy observamos fue construido por el padre Ignacio Calderón. En esos trabajos, iniciados en 1746 y concluidos tres años más tarde, participaron muchos zacatecanos en mayor o menor medida, a veces con dinero, en otras aportando su fuerza de trabajo; las mujeres también colaboraron tejiendo y bordando lo necesario para los altares y el vestuario de las imágenes sagradas. La construcción dotó al inmueble de dos naves más, una singular sacristía de base octogonal y ocho espléndidos retablos barrocos, paradigmas de lo que fue este estilo en México, y que, según Guillermo Tovar de Teresa,

52

Los retablos son tesoros que ha guardado el interior del templo de Santo Domingo a lo largo de los siglos. Otra riqueza, no menos importante, son las pinturas de Francisco Martínez que se conservan dentro de la armónica arquitectura de la sacristía.

son obra de Felipe de Ureña y Juan García de Castañeda. Al año siguiente de finalizarse las obras, en 1750, el templo fue dedicado y bendecido.

Tras la expulsión de los jesuitas, la iglesia fue ocupada por los dominicos, quienes gracias a su tesón convirtieron este templo en el más importante de la ciudad, sólo superado por la parroquia —hoy Catedral— a la que suplió cuando en ésta se realizaban obras de remozamiento. Desde entonces este hermoso edificio, aún dedicado al culto, ha superado con éxito el paso del tiempo y la destrucción de los hombres.

Destaca su portada de estilo barroco y sabio labrado de cantera. Al estar montada en un basamento que compensa el declive propio de la colina sobre la que se construyó, la iglesia preside la plaza donde está ubicada. En su interior pueden admirarse ocho retablos de exquisito gusto. Uno de los más bellos es el dedicado a la Virgen de Guadalupe.

El retablo principal fue sustituido en el siglo XIX por el actual altar de influencia neoclásica, perdiéndose el que fuera el más bello e importante de sus retablos barrocos y dos retablos más: el de la Capilla de Loreto y el lateral de Las Ánimas.

Sobre el muro lateral izquierdo del presbiterio se encuentra el escudo de armas del Maestre de Campo don Vicente Zaldívar y Mendoza, el cual sobrevivió a la destrucción de estos emblemas, según los dictados de don Guadalupe Victoria, gracias a que estuvo cubierto con argamasa. En la sacristía se conservan los cuadros que ornan las ocho paredes de ese sitio y que son obra de Francisco Martínez.

No puede dejar de mencionarse el claro espacio que envuelve al feligrés o al visitante; majestuosas proporciones que dan fe de las sabias manos que lo construyeron y que aún provocan la admiración de los ojos sensibles, sin importar si son profanos o religiosos.

Museo Pedro Coronel

Plaza de Santo Domingo
Tiempo de traslado desde el centro:
5 minutos
Tiempo de recorrido: 2 horas y media
Horario: Viernes a miércoles de 10 a 14
y de 16 a 19 horas

Inaugurado en 1983, este museo ocupa el inmueble de lo que fuera el Real Colegio y Seminario de San Luis Gonzaga, instituido por la Compañía de Jesús en 1616. Contiene la imponente colección del pintor y escultor zacatecano Pedro Coronel (1922-1985), quien legó a Zacatecas no sólo su obra creativa —una parte de la cual se encuentra en el Museo Francisco Goitia—, sino una valiosa muestra de arte universal de muy distintas épocas. El acervo, formado más con criterio estético que historiográfico, nos muestra la sensibilidad selectiva de este gran artista, que consagró su vida tanto a la creación artística como a la apreciación del arte universal; en toda la colección de Pedro Coronel encontramos tanto las profundas raíces de sus propias creaciones como su visión del mundo del arte.

El edificio

El Colegio de San Luis Gonzaga de la Compañía de Jesús abrió sus puertas en 1616; es decir, 42 años después de la llegada de los jesuitas a Zacatecas. Durante el siglo XVIII el Colegio alcanzó gran fama, merced a la calidad de los estudios que ahí se realizaban. Con la expulsión de los jesuitas de la Nueva España, acaecida en 1767, el Colegio quedó en manos de los frailes dominicos, quienes lo ocuparon en 1785 y le cambiaron el nombre por el de Colegio de la Purísima Concepción. Tras un periodo de desestabilización en que incluso llegó a ser cuartel, se le volvió a convertir en casa de estudios, concediéndole el título de Real y volviendo a darle el nombre original.

Durante el siglo XIX muchos fueron sus destinos, para finalmen-

La biblioteca Elías Amador atesora en sus muros una buena parte de antiguas riquezas bibliográficas zacatecanas, algunas provenientes de los conventos clausurados; otras, de acervos particulares. Sin exageración, el amante de los libros pasará aquí gratas horas de búsqueda y hallazgos.

te quedar convertido en cárcel, función que desempeñó hasta 1962.

Largos años transcurrieron para que se iniciara su rescate; en 1962 y tras largas gestiones se comenzaron las obras de restauración. Los presos fueron trasladados a un local más adecuado y el edificio parecía que al fin sería admirado en toda su grandeza. Sin embargo, en 1963 tuvo que ser alojamiento "temporal" de varias familias de escasos recursos, mientras se les construía un lugar donde pudieran vivir. El tiempo pasó y la estancia temporal se hizo definitiva. Tras diez años de ires y venires se logró desalojar a los ocupantes de la vecindad. Así, en 1981 se había adelantado con la restauración del edificio y se pensaba alojar ahí las colecciones pertenecientes al Gobierno del estado: la Mertens de arte huichol, y las de cerámica arqueológica, de Antonio Luna Arroyo. Sin embargo, y dada la importancia de la colección de Pedro Coronel, así como la falta de un inmueble donde la gente pudiera observarla, se decidió que este edificio albergara el universo de Pedro Coronel, quien donara su valiosa colección a su tierra natal. La donación de este valioso acervo fue hecha e instalada en vida de su creador, quien tuvo la oportunidad de conocer este museo. La muerte privó a Zacatecas de contar con una escultura monumental de bronce que Pedro Coronel pensaba realizar y donar a Zacatecas.

El Museo

Al formidable acervo reunido por Pedro Coronel se unen la Colección Numismática Zacatecana, que donó el ingeniero Enrique Torres de Alba en 1985, y la Biblioteca Elías Amador, la cual reúne más de veinticinco mil volúmenes, en su mayoría provenientes de los conventos de Zacatecas. De entre las muchas riquezas bibliográficas destaca la primera constitución del estado de Zacatecas y el manuscrito del *Diario histórico de México,* obra de Carlos María de Bustamante; además, contiene innumerables libros editados en el periodo que va del siglo XVI al XIX.

En la planta baja, luego de la Biblioteca Elías Amador, se inicia

58

propiamente el recorrido del museo con varias esculturas de Pedro Coronel que, dispuestas en los corredores y con sus formas voluptuosas, son una introducción visual a lo que espera al visitante; en estas obras encontramos expresada la preocupación de Pedro Coronel por el pasado prehispánico, el erotismo y la muerte.

La primera sala está dedicada al arte prehispánico, con muestras representativas de esa época provenientes en su mayor parte del estado de Guerrero. Máscaras, pequeñas piezas de terracota y representaciones de dioses en distintos materiales ponen de manifiesto el excelente dominio de volúmenes y formas alcanzado por los antiguos pobladores de Mesoamérica.

La belleza de estas piezas destaca sobre su valor documental; sobresale entre ellas una figura de guerrero finamente moldeada y una figura femenina sedente, ambas de gran valor y expresividad.

Desde el arte de moderna factura, como las esculturas de Pedro Coronel, hasta piezas que llevan a cuestas siglos de admiración, como estas estatuillas, son muestra de la variedad que se encuentra en el Museo.

Tras este inicio y antes de continuar el recorrido hacia la planta alta, se encuentra la tumba del gobernador interino José María Echeverría, presidida por un hermoso ángel de la muerte. Este mausoleo fue rescatado del panteón de la Purísima de Zacatecas para protegerlo de daños y por su altísimo valor estético.

En la planta alta, el visitante se encuentra en los corredores con esculturas griegas del periodo helenístico, delicadas pinturas hindúes, tibetanas, chinas y japonesas, así como muestras de cerámica de diversas procedencias, entre las que destacan siete magníficas terracotas ch'ing. En esta sección pueden apreciarse varias piezas de madera policromada provenientes de la antigua China.

La primera sala guarda uno de los principales atractivos del museo: las figurillas de Tanagra, que datan de hasta 320 a. de C. y que, tras ser descubiertas por los europeos hacia 1880, se pusieron de moda en el Viejo Continente hasta el punto de crearse innumerables falsificaciones de esas esculturas. Junto a estas singulares piezas pueden también disfrutarse otras muestras escultóricas procedentes de Etruria, Irán, Birmania y Egipto; de esta última cultura se conserva un impresionante sarcófago, ejemplo destacado del arte funerario egipcio.

En una de las salas más interesantes se guarda una valiosa selección del arte de Japón, China, Nepal y Tailandia. Aunque las muestras de terracota son apreciables, so-

bresalen las pinturas japonesas, de las que se muestran obras de Utamaro Kitagawa, Utagawa Kunisada y de la Escuela Ukiyo-e de Yoshitoshi; de esta última vale la pena hacer hincapié, tanto por la sutileza con que se ha tocado el tema, como por la magnífica técnica utilizada, el cuadro *El tormento de la señora Muraoka,* cuyo sufrimiento está espléndidamente sugerido.

La sala africana, que a continuación se encuentra, es sin duda una de las más emocionantes, pues se muestran diferentes obras de esas culturas que, ya en madera, ya en piel, bronce o marfil, impactan con su exótica fuerza. Máscaras, yelmos, estatuillas de deidades o escenas míticas llenan no sólo el espacio de vitrinas y paredes, sino la imaginación de quien las

contempla cuidadosamente.

Al salir de esta sala se encuentran las obras de arte contemporáneo reunidas a lo largo de su vida por Pedro Coronel; ahí están representados relevantes pintores tanto de fines del siglo pasado como del actual. Pierre Bonard, Hans Bellmer, Salvador Dalí, Braque, Rouault y Pablo Picasso comparten espacios con Antoni Tápies, Jean Cocteau y Robert Motherwell, entre otros de no menor valía.

Como una vuelta breve y repentina al pasado de México, la siguiente sala se ha dedicado al arte colonial, que presenta varias obras de ese periodo, sobre todo en lo referente a pintura y escultura, sin olvidar algunos objetos de uso cotidiano en esa época.

Después y para asombro del visitante atento, se muestran dos series completas de grabados realizados por Goya: *La tauromaquia* y *Los proverbios*, testimonios geniales del gran pintor español.

Luego del mundo concebido por Goya, se llega a la sección que guarda obras de William Hogart, Piranesi, Daumier y Vernier; incisivos artistas que con la magia del buril crearon atmósferas extrañas o emitieron feroces críticas a la sociedades de su época.

El recorrido termina con la tumba que guarda los restos de Pedro Coronel. Tras haber penetrado a un universo formado a lo largo de una vida sensible, al visitante no le resta sino rendir, ante esa tumba, un silencioso homenaje a la memoria y generosidad del gran pintor zacatecano.

Manifestaciones artísticas de diversas culturas como la clásica belleza de las estatuas griegas, la enigmática presencia de las estelas mayas o la imagen de mármol del Angel de la Muerte estimulan la imaginación del visitante.

Casa de Moneda

Centro de la ciudad
Tiempo de traslado: 5 minutos
Tiempo de recorrido: 20 minutos
Horario: Lunes a viernes de 9 a 15 horas

El caudal minero que convirtió a Zacatecas en parte importante de la Nueva España atrajo a muchos que veían en estas tierras una forma segura de enriquecerse tanto por la abundancia de los metales, como por la mano de obra barata de los indígenas. Durante la Colonia, el metal obtenido era transportado a lomo de bestia hasta la lejana ciudad de México, donde se procedía a amonedarlo.

La Ceca de Zacatecas o Casa de Moneda nació y murió en el inmueble que hoy ocupa la Secretaría de Finanzas y Tesorería del Gobierno del Estado de Zacatecas, una casa probablemente de fines del siglo XVIII que está ubicada entre el templo de San Agustín y la Plaza de Santo Domingo. Su patio presenta un espacio concentrado y agradable y, a pesar del barullo proveniente de las oficinas, se respira un poco de la serenidad que debió existir antaño dentro de estas paredes.

Volviendo a la Ceca de la ciudad, hay que decir que su vida no llegó al siglo, pues se abrió en 1810 —en vísperas de la Independencia— por mandato del Virrey Francisco Javier Venegas, y se cerró en 1905 —otras vísperas: las de la Revolución.

Durante su existencia, la cantidad y calidad de su acuñación fue tan grande que sólo la superaba la Casa de Moneda de la ciudad de México. Las primeras numismas son imperfectas debido a la poca experiencia en la troquelación; estas fallas fueron después ampliamente superadas. Las monedas llamadas Provisionales, uno de los primeros productos de la Casa de Moneda, muestran en el anverso a los cerros de La Bufa y El Grillo dentro de un círculo de puntos, una cruz en la cúspide y en la base las iniciales del lema de Zacatecas: L.V.O. (*Labor vincit omnia*: "el trabajo todo lo vence"). Por el reverso hállase el escudo de armas de España, franqueado por dos columnas dominadas por la Corona Real. Estas monedas se acuñaron hasta 1811.

Muchas otras numismas produjo Zacatecas a lo largo de su historia, lo mismo en plata que en cobre; en esas piezas se hallan los tres registros que distinguieron a la Casa de Moneda: Z, ż y Zˢ. Finalmente, la Ceca de Zacatecas o Casa de Moneda desapareció dejando tras de sí numerosas monedas que hoy son codiciadas por los aficionados a la numismática.

Este sitio guarda un mural en blanco y negro, obra de Antonio Pintor, que presenta en sintética visión la historia de la Casa de Moneda de Zacatecas.

El patio de la Casa de Moneda es sin duda uno de sus atractivos; otro, el mural de Antonio Pintor, del que aquí apreciamos un fragmento.

La fachada principal de San Agustín, luego de haber perdido su rico tallado en piedra, contrasta con la deslumbrante belleza de su portada norte: sueño hecho de piedra.

San Agustín

Centro de la ciudad
Tiempo de traslado desde el centro:
5 minutos
Tiempo de recorrido: 1 hora
Horario: Lunes a viernes de 10 a 14 y
de 16 a 19. Sábado de 10 a 14 horas.
Domingos cerrado

La orden agustina, que tantos y tan suntuosos monumentos dejara en todo el país, llegó a la ciudad de Zacatecas en el año de 1575. De inmediato buscó un lugar donde iniciar sus actividades y levantar su convento y su templo, con el fin de poder no sólo ayudar en la evangelización de las nuevas tierras, sino también de formar nuevos sacerdotes, algunos ya nacidos en Nueva España.

Primero tuvieron una iglesia modesta, como correspondía a los comienzos de una ciudad; sin embargo continuaron trabajando para tener uno de mayor envergadura. Para 1590 ya se habían levantado los muros de un templo mayor, pero faltaba aún la bóveda, que habría de terminarse seis años después gracias a esfuerzos y donativos.

Con todo, algunos habitantes consideraban que era necesario dotar de un mejor inmueble a la orden. Entre ellos estaba un acaudalado minero, don Agustín de Zavala, quien se encargó de patrocinar la construcción de la nueva iglesia. Este nuevo templo fue dedicado en 1617. Durante largos años templo y convento resistieron el paso del tiempo casi sin necesitar ninguna reparación; en 1782, luego de varias mejoras, fue nuevamente bendecido.

En los inicios del México independiente, el edificio fue respetado; sin embargo, con el advenimiento de las Leyes de Reforma comenzó su decadencia. Así, en 1863 fueron vendidos a particulares templo y convento, que se convirtieron en billares y garito, el primero, y en hotel el segundo. Descuido y abandono hicieron presa del edificio. Para mayor desgracia, el inmueble fue vendido en 1882 a la Sociedad Presbiteriana de Misiones de los Estados Unidos, la cual deseando abrir un templo al culto evangélico, decidió destruir por razones religiosas toda la fachada, con lo que se perdió una de las obras más hermosas de Zacatecas. Años después, el templo se convirtió en vecindad, agregándosele varios pisos y abriéndose ventanas en donde otrora estuviera la fachada, destruyendo lo que tal vez fuera el segundo edificio barroco más importante de Zacatecas.

El convento continuó usándose como hotel y luego como bodega. Y así permaneció hasta 1904, año en que el obispo fray José Guadalupe Alva y Franco lo compró e instaló ahí la residencia del obispado. En 1926 el convento pasó de nuevo a poder del Estado; finalmente, volvió a ser en 1942 sede del obispado, función que actualmente sigue desempeñando.

Pero el templo seguía en manos de la ruina y el deterioro. No fue sino hasta 1948 cuando se iniciaron las primeras labores de rescate, que comenzaron con la recuperación de la portada lateral del templo y que habrían de durar tres años. Todavía transcurrirían 16 años para iniciar la restauración definitiva del templo, misma que se finalizó en 1969.

Los arduos trabajos valieron la pena. Basta contemplar la portada lateral que mira al norte de la ciudad. En ella se ha representado a San Agustín en el momento de su conversión. Ahí, San Agustín es representado como un efebo, vestido a la usanza del siglo XVI, que descansa plácidamente rodeado de cipreses, mientras un ángel pro-

nuncia las palabras que hicieron al santo abrir la Biblia y convertirse del maniqueísmo al cristianismo: *tolle, lege* ("toma, lee"); esta frase está escrita al revés, como corresponde a una visión onírica. Observan la escena un sol con rostro humano y varios ángeles que tocan distintos instrumentos.

En la fachada del templo ya no existe la portada; de ésta queda solamente el muro altísimo pintado de blanco, elocuente testimonio de una pasada grandeza que ha de reconstruirse con la imaginación sensible y bien documentada. Para saber aproximadamente cómo fue esa fachada se conservan una fotografía de vaga claridad tomada desde el cercano cerro de La Bufa y un dibujo, cuya imagen es más precisa y que realizó el francés Philipe Rondé en 1850. Ambos testimonios se

exhiben dentro del templo, donde nuevas sorpresas aguardan al visitante. Aunque vacío, perdidos sus cinco retablos —que fueron quemados durante el siglo XIX—, sin coro, es no obstante un magnífico ejemplo de arquitectura, pues el espacio, principal elemento de cualquier construcción que aspire al arte, se ha conservado en toda su nobleza y perfecta proporción.

Con piedras labradas que pertenecieron a la portada principal y a otras partes del inmueble, o que han sido rescatadas de los cimientos y muros de otros edificios, se han formado cinco mosaicos que, además de fungir como ornamentación *sui generis*, permiten conservar las piezas de un rompecabezas que quizás algún día pueda armarse. Estos mosaicos se encuentran en la antesacristía, la sacris-

tía, en el pasillo sur y dos en la bodega.

Junto a esto destaca la presencia de varias obras pictóricas, propiedad de la Universidad Autónoma de Zacatecas, entre las cuales sobresalen dos espléndidas pinturas: *La Virgen de la Antigua Sevilla con San José y Santa Teresa*, de Juan Correa, y *La Santísima Trinidad en el Cielo y en la Tierra,* de Luis Juárez; además de un excelente cuadro de Juan Cordero, *El arcángel Tobías*, y de magníficos medallones de autor anónimo.

Quedaría incompleto este acercamiento al templo de San Agustín si no se mencionara la apasionada defensa y paciente reconstrucción del inmueble que realizara don Federico Sescosse, principal responsable de la recuperación de esta joya arquitectónica.

La fachada del Congreso del Estado reproduce la portada original de la Caja Real, destruida durante la Revolución. Ya dentro del recinto parlamentario, puede admirarse el mural de Ismael Guardado que se encuentra en la puerta de acceso al salón de debates.

Congreso del Estado

Centro de la ciudad
Tiempo de traslado desde el centro:
5 minutos
Tiempo de recorrido: 15 minutos
Horario: Todos los días de 10 a 17 horas

Durante mucho tiempo el Congreso local estuvo alojado en lo que se conoce como Palacio de Mala Noche. Con el paso de los años este edificio resultó insuficiente, pues también albergaba oficinas del poder judicial; por ello se pensó en construir otro de mayor tamaño, exclusivo para el Congreso.

Junto al templo de San Agustín se encontraba un terreno que durante el siglo XVIII estuvo ocupado por un conjunto habitacional llamado Alcaicería de San Agustín. En 1964 fue comprado por Antonio Avila quien, luego de demoler el conjunto habitacional, dedicó el espacio a estacionamiento. En 1984

se decidió construir ahí la nueva sede del Congreso del estado de Zacatecas; una vez terminada, se puso en servicio inmediatamente, el 14 de marzo de 1985.

En el vestíbulo del edificio se puede admirar el mural de Ismael Guardado, que engalana la puerta de la sala de sesiones y en sus formas abstractas evoca las vetas minerales que tanta fama le dieran a Zacatecas, de cuya ciudad capital hay un plano en bosquejo al centro de esta singular obra plástica.

La sala de sesiones rinde perpetuo homenaje a varios zacatecanos ilustres, casi todos políticos; sin embargo, no deja de ser emotivo que también aparezca en ese recinto el nombre de un gran poeta: el jerezano Ramón López Velarde.

Otro artista, a través de su obra, también está presente en el recinto parlamentario: Pedro Coronel, quien realizó el plafón que, al iluminarse, cobija con sus colores los debates de los diputados estatales. Esta

obra fue la última del pintor, quien la donó a Zacatecas, pero no llegó a verla ya instalada.

No deja de ser notable que el edificio, aunque moderno, no rompa sino que se integre perfectamente al ritmo arquitectónico de la ciudad. Esto se debe en parte a que se ha reproducido en su portada la de la Real Caja, inmueble que fue construido en 1763 y que cumplió a lo largo de su historia diversas funciones. Ese edificio se localizaba a un costado del Teatro Calderón, en lo que hoy es la esquina de Hidalgo y Callejón de la Palma. En 1914, durante la toma de la ciudad por Francisco Villa, fue dinamitado por las fuerzas federales al verse derrotadas. Al haber reconstruido esa vieja fachada se quiso dejar testimonio de lo que fuera una de las principales construcciones de la vieja Zacatecas, a la vez que se lograba, con acierto, no desentonar con el paisaje urbano de esta ciudad señorial.

Unión Ganadera

Centro de la ciudad
Tiempo de traslado desde el centro: 15 minutos
Tiempo de recorrido: 10 minutos

La ganadería fue, junto con la minería y acaso más que ésta, la actividad más próspera en Zacatecas a lo largo de su historia. Haciendas como Malpaso se dedicaban a la cría de mulas; otras destacaban en diversos ganados como el bovino, el vacuno o el asnal. Esa riqueza que se inició en la Colonia alcanzó su punto más alto durante el Porfiriato.

Una de las más importantes haciendas ganaderas fue la de Valparaíso, fundada por don Fernando de la Campa y Cos. Dedicado primero a la minería, este hacen-dado logró amasar una gran fortuna, la que a su vez le permitió fundar su riqueza agrícola y ganadera, tal vez la mayor del siglo XVIII. Tras de ejercer con tan buen sino la minería, don Fernando de la Campa y Cos se estableció en San Mateo de Valparaíso, al sureste de Zacatecas. Ahí construyó un palacio de majestuosas proporciones; a la entrada de esa soberbia edificación se levantó, a principios del siglo XVIII, una portada de gran belleza, en donde se leía "Padrón seré que viva eternizando la memoria del Conde Don Fernando", entendiendo "padrón" en el antiguo sentido de testimonio. Y testimonio fue de la riqueza y poder de uno de los nobles más famosos de la Nueva España.

Ostenta un excelente labrado en cantera. Dos guardias en bajorrelieve custodian el escudo del conde. Más arriba está la imagen de la Virgen y en la cima de la portada una cruz hecha con la técnica de "petatillo".

Ya en el siglo XX, el palacio del Conde se incendió y la construcción comenzó a sufrir severos deterioros, por lo que la hermosa portada se vio en peligro de desaparecer. A esto se unió lo difícil del acceso a la hacienda, por lo que no se prestó la atención que requería una obra de tan delicada factura.

Ante la amenaza de perder un bello ejemplo del arte del tallado en cantera practicado en la Colonia, se pensó en trasladar la portada al edificio de la Unión Ganadera, inaugurado en mayo de 1965. Así se hizo para que pudiera observarse esta obra en medio de la vida cotidiana en Zacatecas. Además, por el lado norte del edificio se construyó una *loggia*, copia de la que existe en la hacienda de San Mateo.

72

El auge de la ganadería y
las nobles tareas del campo
pueblan las calles de
rostros y figuras que dan a
Zacatecas un ambiente campirano.

Algunas presencias son ya
viejas, como el aguamielero;
otras, en cambio, incorporan
en su atuendo modernas
prendas de vestir.

Entre los monumentos arquitectónicos de belleza magnífica es posible encontrar a cada paso rincones de sencilla y grata presencia, así como personajes que se adentran en la historia secular de Zacatecas. Las fuentes, los callejones empinados, las fachadas insólitas tienen también un lugar en la historia de la ciudad.

La Alameda Trinidad García de la Cadena surgió en pleno siglo
XIX a instancias del gobernador Francisco García Salinas que
quiso que los zacatecanos tuvieran un paseo donde la música
y la frescura de la sombra de los árboles propiciara la
convivencia social. Hasta la fecha, esa tradición continúa y son
célebres las "Mañanitas de abril" que a temprana hora llenan
de música el lugar.

Sobre estas líneas, la estatua en homenaje al gobernador que
animó la construcción de este paseo y a quien el pueblo
recuerda con el cariñoso sobrenombre de Tata Pachito. De la
arquitectura de la Alameda, sobresale la balaustrada y el sólido
pórtico de entrada —que se aprecia en la página opuesta— y
que por sí mismos valen la visita.

Enfrente a la Alameda está el Jardín Morelos, también
construido durante el siglo XIX; ahí se levanta el Monumento a
la Madre, que en esta página se observa. Por su concentrado
espacio, este jardín invita a la meditación y es uno de los
sitios de mayor encanto de Zacatecas.

78

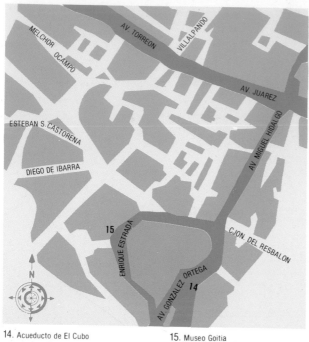

14. Acueducto de El Cubo
y Antigua Plaza de Toros de San Pedro

15. Museo Goitia

Acueducto de El Cubo

Sur de la ciudad
Tiempo de llegada: 20 minutos
Tiempo de recorrido: 30 minutos

Esta hermosa construcción se localiza al sur de la ciudad y está enmarcada por el Parque Enrique Estrada, el cual también se conoce como Parque González Ortega, pues una estatua ecuestre de este prócer zacatecano preside el conjunto.

La construcción del acueducto se inició en los últimos años de la Colonia y se terminó en los primeros del México independiente. Gracias a su arquería se vencieron los desniveles del suelo y se hizo llegar el agua desde el tiro de El Cubo hasta la Plazuela de Villarreal —hoy Plaza Independencia— donde en una pila la población se abastecía del vital líquido. No se sabe exactamente cuándo dejó de dar servicio, pero sí que en 1921 se cegó el tiro de donde provenía el agua. Frente a este bello acueducto se levantaba la Plaza de Toros de San Pedro.

Antigua Plaza de Toros de San Pedro

El coso que alcanzó mayor tradición taurina en Zacatecas fue sin duda la Plaza de San Pedro. Se inauguró el 15 de septiembre de 1866 y fue escenario de grandes faenas a cargo de Ponciano Díaz, Lino Zamora o Epifanio del Río, famosos toreros de fines del siglo pasado.

Con el paso del tiempo la plaza necesitó remodelaciones; la más importante se llevó a cabo en 1908, cuando se renovó el piso del ruedo y se le dotó de mejores burladeros, así como de enfermería con las mejores condiciones higiénicas de la época. También se amplió su capacidad que alcanzó las cuatro mil localidades. Ya remodelada se abrió a la fiesta taurina el 22 de noviembre de 1908, llevando en el cartel al diestro Vicente Segura, quien se encerró con toros de Tayahua y San Miguel.

Actualmente el edificio está ocupado por un moderno hotel de lujo, cuyo principal atractivo es haber respetado una buena parte de la arquitectura original de la plaza para sus instalaciones. Destaca de modo singular el haber habilitado las gradas del viejo coso taurino como restaurante.

Al sur de la ciudad, la estatua del general González Ortega, obra del escultor Jesús Contreras, preside la entrada al Parque Enrique Estrada. En la página opuesta, detalle del monumental Acueducto de El Cubo.

Museo Goitia

Sur de la ciudad
Tiempo de traslado desde el centro:
25 minutos
Tiempo de recorrido: 1 hora y media
Horario: Martes a domingo
de 10 a 13:30 y de 17 a 20 horas

Antigua Plaza de Toros de San Pedro, hoy hotel; al fondo, el Acueducto de El Cubo que se integra desde esta perspectiva al nivel superior del viejo coso. Sobre estas líneas fachada principal del Museo Francisco Goitia.

El edificio que hoy ocupa este museo ha conocido diversos usos a lo largo de su historia. Inaugurado en 1948 como residencia oficial del gobernador, continuó con esta función hasta 1962 cuando se le destinó a ser la casa para visitantes distinguidos, además de oficinas públicas. Posteriormente fue Casa del Pueblo; finalmente, en 1978, el edificio se acondicionó como museo para albergar obras de pintores nacidos en Zacatecas.

Tras sus muros se guarda una espléndida selección de seis artistas que representan en conjunto 90 años de plástica zacatecana: Julio Ruelas, Francisco Goitia, Manuel Felguérez, José Kuri Breña, Rafael y Pedro Coronel.

El recorrido se abre en lo que fuera el recibidor de la casa; ahí destaca un excepcional autorretrato de Francisco Goitia, obra maestra que hace patente el dominio alcanzado por este pintor en ese difícil género.

A continuación está la sala dedicada a Julio Ruelas, donde se exhiben grabados, óleos y dibujos al carbón de gran fuerza imaginativa y depurada técnica. Sobresale *La Bella Durmiente*, dibujo al carbón sobre papel, donde sensualidad y

En el vestíbulo del Museo se inicia una visita que nos lleva a través de noventa años de plástica zacatecana; del acervo destaca uno de los autorretratos más dramáticos de Goitia, y su homenaje a los silos de Santa Mónica, donde vivió el pintor.

terror se mezclan con refinado gusto; junto a ésta no pueden dejar de admirarse el gran *Retrato del Sr. Jesús A. Luján*, donde Julio Ruelas hace alarde del dominio del pincel, y varios excelentes grabados.

El siguiente espacio del museo presenta una breve selección de la obra de Pedro Coronel, representada por varios óleos y dibujos, estos últimos de corte erótico e influencia picassiana. Aunque no muy amplia, esta muestra es lo suficientemente representativa del arte de Pedro Coronel, porque revela su gusto por las formas abstractas y el eficaz manejo del color, ya como

agrupamiento de tonalidades brillantes, ya como concentración de pigmentos oscuros; asimismo lo presenta como un dibujante de trazo seguro y delicado.

El recorrido continúa después hacia la planta alta, donde se ha reunido una buena parte de la obra de Francisco Goitia, especialmente dibujos y óleos que dan claro testimonio del arte de este gran pintor de México.

Los dibujos, al carbón o a lápiz, brindan una visión no sólo de lo que fue la técnica de Goitia, sino también del alma que captó rostros y espacios arquitectónicos. Excelen-

te dibujante, logra una singular tensión que cautiva al espectador, lo mismo en sus vistas de edificios europeos que en los rostros de indígenas mexicanos. Con todo, la parte más fuerte de su obra la constituyen sus óleos; de éstos, los más importantes están en este museo. Por su fuerza y originalidad destacan tres obras en especial: *Tata Jesucristo, Cabeza de ahorcado* y *El maderista*. En ellos está presente una parte del alma de Francisco Goitia: la atormentada. La otra, la dulce, se halla presente en sus paisajes de serena belleza y rico colorido. Completan la exposición los apuntes autobiográficos de Goitia, que de su puño y letra pueden leerse en las paredes de esta sala.

Al salir de ella se encuentran varias esculturas en bronce y ónix, de José Kuri Breña. Volúmenes equilibrados, de estricta técnica y de sensuales líneas constituyen una excelente transición a la modernidad deslumbrante de Manuel Felguérez. Las obras que de este pintor aquí se presentan son muy representativas de su estilo; formas geométricas en diversas composiciones son realzadas gracias a la correcta convergencia de los colores y los planos.

La última sección del museo está dedicada a Rafael Coronel, de quien se guardan cuadros de excelente factura que provienen no sólo de su conocida etapa figurativa, sino también de la abstracta, menos conocida, donde a través de delicados difuminados, se crea una rica textura de colores.

Con este artista finaliza la visita al museo, que aún nos reserva, como despedida, el rostro de Francisco Goitia. Es el mismo autorretrato que recibiera al visitante. Acaso después del recorrido se vea con otros ojos la mirada del autor de tantas obras preñadas de dolor y de pasión.

Tata Jesucristo, **obra maestra de Francisco Goitia. Enfrente, dos obras de los hermanos Coronel: arriba, las presencias enigmáticas de Rafael; abajo, el estallido cromático de Pedro.**

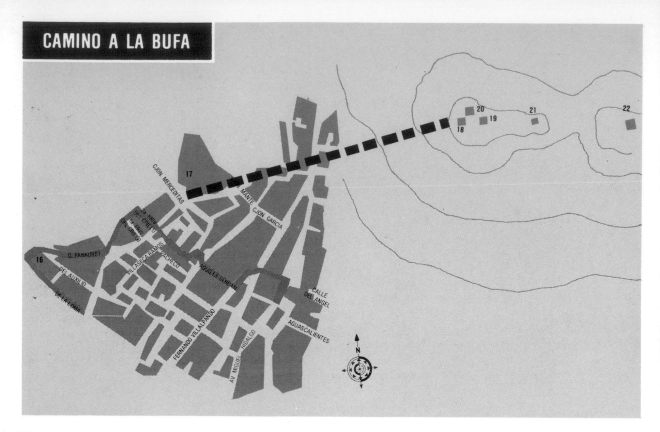

16. Mina El Edén
17. Estación del Teleférico
18. Observatorio Meteorológico
19. Santuario del Patrocinio
20. Museo de la Toma de Zacatecas
21. Plaza de la Revolución
22. Mausoleo de los Hombres Ilustres

PAGINAS ANTERIORES. El cerro de La Bufa con su crestón característico, símbolo de la ciudad de Zacatecas.

Muchas son las formas de llegar a La Bufa; pero sin duda la más emotiva es iniciando el ascenso por la mina El Edén, recorrido que nos lleva desde las profundidades de la tierra hasta la cima del Cerro del Grillo, donde está ubicada la estación del teleférico.

La Bufa

Norte de la ciudad
Tiempo de traslado desde el centro: 20 minutos a la estación del teleférico y luego 8 minutos en teleférico
o de 15 a 30 minutos según la ruta que se escoja
Tiempo de recorrido: 1 hora

A La Bufa se puede subir por un camino peatonal adoquinado que se inicia a espaldas de catedral por la llamada calle del Angel, recorrido que no lleva más de 20 minutos. Otra forma es el automóvil, pues se ha construido una carretera escénica que corre periférica a la ciudad. Finalmente se puede hacer uso del teleférico que, en sus ocho minutos de recorrido, brinda una visión panorámica de toda Zacatecas. La estación del teleférico se

encuentra a 25 minutos del centro si se llega a pie; sin embargo, la mejor ruta es la que se recorre a través de la Mina El Edén en un sencillo trenecito de varios furgones. Este paseo es uno de los más emocionantes que tiene la ciudad, pues durante él se conoce la mina situada en el corazón del Cerro del Grillo y se puede tener una idea de lo que era la sacrificada y fecunda vida de los mineros. Una vez terminada la visita, se asciende por un elevador que llega hasta la estación del teleférico que conduce al legendario cerro de La Bufa.

Varias son las versiones acerca del origen de su nombre. Una de ellas dice que la palabra aragonesa *bufa* le fue dada por uno de los fundadores de la ciudad: Juan de Tolosa. A pesar de esta tradición debe señalarse que *bufa* es un término usado en minería para desig-

nar a las prominencias topográficas en una montaña que se caracterizan por sus acantilados casi verticales y que poseen restos de roca volcánica ácida, esencialmente riolita. El término proviene del italiano *buffa*, "capucha", quizá por analogía con la capucha de las antiguas cofradías, quizá porque esas prominencias se parecen a un accesorio que cubría el hombro izquierdo de los caballeros y que es conocido, en jerga de armería, con la misma palabra italiana: *buffa*; quizá, en fin, por semejanza con la parte inferior de la visera de un yelmo que se conoce, también, como *bufa*.

Sea como fuere, lo que nadie discute es que este cerro es el símbolo de la ciudad de Zacatecas, desde su fundación. Ahí llegó el primer explorador español Pedro Almíndez Chirinos, y ahí también llegaron los cuatro fundadores de esta rica ciudad minera: Juan de Tolosa, Cristóbal de Oñate, Baltazar

Temiño de Bañuelos y Diego de Ibarra.

Desde su altura se domina todo el emplazamiento urbano, motivo por el cual ha sido estratégico en numerosas batallas, decisivas para la historia mexicana. Durante la Independencia, La Bufa fue testigo de las cruentas luchas entre realistas e insurgentes, destacándose entre éstos los zacatecanos Víctor Rosales, Juan Valdivia y los hermanos Ortiz. En el siglo XIX y durante la Guerra de Reforma también fue escenario de violentos combates entre conservadores y liberales. Posteriormente, ya en la República restaurada, fue campo de las batallas que contra los opositores al régimen juarista libró el general Sóstenes Rocha.

Con todo, también fue sitio de hechos más benignos como la fundación el 14 de febrero de 1862 de la Casa de la Caridad, creada para dar asilo a los hijos de los mineros que morían en los múltiples acci-

dentes que ocurrían en las minas. En ella había una imprenta y diversos talleres, además de una pequeña fábrica de hilados y tejidos. Asimismo, en 1906 se mandó construir, en lo que se conoce como el Crestón Chico de La Bufa, un observatorio meteorológico que estaba dotado de los más avanzados instrumentos de la época. Después de la Revolución se instalaron nuevos instrumentos todavía más precisos y se convirtió el inmueble en el Observatorio Meteorológico, función que aún desempeña.

El Observatorio Meteorológico recibe diariamente la llegada del teleférico, una de las formas más emocionantes de llegar hasta La Bufa.

92

No obstante esta larga historia, La Bufa es recordada por haber sido escenario, durante la Revolución, de la batalla que marcó el principio del fin de la dictadura de Victoriano Huerta, cuando el 23 de junio de 1914 las fuerzas de Francisco Villa tomaron a sangre y fuego Zacatecas.

Con la llegada de la paz en todo el territorio, La Bufa comenzó a ser objeto de mayor atención. Así, muchas obras se iniciaron para ofrecer mayores atractivos a los habitantes de la ciudad tanto como a los que la visitaban. En 1966 se desarrolló una remodelación integral. Se construyó la arquería del mirador, el atrio del Santuario del Patrocinio y se establecieron varios locales comerciales. Asimismo se trasladó del Panteón de la Purísima el Mausoleo de los Hombres Ilustres y se colocó al pie del crestón de La Bufa. Ahí descansan distinguidos zacatecanos que ya en las artes o en la vida pública se han distinguido, como Francisco García Salinas, gobernador modelo de la entidad, y Genaro Codina, autor de la célebre *Marcha de Zacatecas*, entre otros ilustres próceres.

En 1978 se hicieron nuevos trabajos para dar más realce al Paseo de La Bufa. Se adoquinó e iluminó el camino que a ella accede y se realizó una reforestación. Además,

en 1979 se inició la construcción del Teleférico, entre otras obras de importancia. En 1984 abrió sus puertas el Museo de La Toma de Zacatecas, donde se reúnen testimonios de esa decisiva batalla. Con el mismo tema, pero cinco años después, se inauguró la Plaza de la Revolución localizada frente al atrio del Santuario del Patrocinio; en ella se colocaron las estatuas ecuestres de los tres principales responsables del triunfo de las fuerzas revolucionarias contra las huertistas: Francisco Villa, Pánfilo Natera y Felipe Angeles.

De todos los atractivos mencionados vale la pena detenerse en dos: el Santuario del Patrocinio y el Museo de la Toma de Zacatecas.

Santuario del Patrocinio

A poco de la fundación de la ciudad se construyó, en enero de 1548, la primera ermita, que fue dedicada a la Virgen en agradecimiento a su intervención para establecer pacíficamente un nuevo asentamiento español en América. Con el tiempo la imagen llegó a conocerse como la Virgen del Patrocinio de los Zacatecas. No obstante el fervor religioso, la falta de cuidado hizo que la ermita cayera en la ruina, por lo que fue menester levantar otro adoratorio digno de la patrona de la ciudad. La nueva capilla se terminó en 1728;

El Mausoleo de los Hombres Ilustres: un recinto hecho de respeto y gratitud para los restos de zacatecanos destacados. Enfrente, el Mirador de La Bufa durante el atardecer.

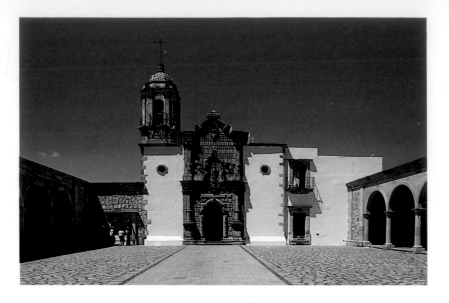

en junio de ese mismo año se bendijo y en noviembre se colocó la imagen que todavía se venera. La Virgen fue robada en 1762, pero se recuperó inmediatamente. No obstante, y mientras se preparaba su recolocación solemne, pasaron treinta años para que volviera la Virgen a su legítima residencia. Durante ese lapso el Santuario permaneció en completo abandono y se deterioró severamente. En 1791 se comenzó a remozar la capilla, trabajo concluido en enero de 1795. El diez de septiembre del mismo año la imagen regresó a su casa. Desde entonces el Santuario ha sido objeto de cuidados constantes y de varias remodelaciones; una de las principales se llevó a cabo en 1805, cuando se sustituyó la antigua torre por otra, terminada al año siguiente. En 1967 se terminó el atrio procesional, de grandes dimensiones y al cual se le dotó de una arquería que da abrigo a los peregrinos que año con año visitan el Santuario.

El templo, de una sola nave, tiene dos portadas. La principal fue construida en 1794 con el deseo de plasmar en ella los símbolos de la ciudad, mismos que están en el segundo cuerpo de esta portada. Ahí se aprecia el relieve alusivo al escudo de armas de la ciudad de Zacatecas. Se ha representado al Cerro de La Bufa, a la Virgen del Patrocinio y el Sol y la Luna; sólo faltan los cuatro fundadores de la ciudad —Juan de Tolosa, Cristóbal de Oñate, Baltazar Temiño de Bañuelos y Diego de Ibarra— para completar los elementos heráldicos del conjunto.

La portada lateral se ocultó en febrero de 1805, cuando a un lado del Santuario se levantó una finca. Sólo hasta la demolición de ésta, ocurrida en 1965, se descubrió esta parte del exterior del templo. Sólo se conserva su segundo cuerpo que presenta casi los mismos elementos que la principal.

Peregrinaciones

Desde 1795 se celebran, del tres al quince de septiembre, las fiestas en honor de la Virgen del Patrocinio, patrona de la ciudad de Zacatecas. En esas fechas numerosos fieles llegan al Santuario ubicado en el cerro de La Bufa para homenajear a la Virgen y entregarle el ferviente regalo de su fe. Las peregrinaciones parten del Callejón de las Campanas, en medio de música, danzas y cohetes; júbilo que se convierte en plegarias al llegar al Santuario de la Virgen del Patrocinio.

Durante estas festividades, el día más importante es el ocho de septiembre, cuando la Virgen baja de su santuario hasta la Catedral.

Santuario de Nuestra Señora del Patrocinio, cita obligada de sus devotos cada mes de septiembre. A un lado, un sobreviviente de la Toma de Zacatecas.

Museo de la Toma de Zacatecas

Tiempo de recorrido: 30 minutos
Horario: Martes a domingo
de 10 a 17 horas

Uno de los episodios épicos más importantes de la Revolución Mexicana fue sin duda la toma de la ciudad de Zacatecas por las fuerzas de la División del Norte, comandadas por Francisco Villa. Por ser lugar estratégico y puerta al norte de la República, Zacatecas representó para los huertistas un bastión contra las fuerzas rebeldes del norte.

La historia se desarrolló durante el mes de junio, cuando poco a poco el ejército villista fue llegando a las proximidades de Zacatecas. Quitarles a los huertistas el dominio de esta ciudad significaba prácticamente la derrota del dictador Victoriano Huerta. Tras largos días de tensión y preparativos, la batalla dio inicio el 23 de junio de 1914 a las diez de la mañana. Ocho horas después la ciudad estaba en manos de la División del Norte. Pero si bien el lapso fue muy corto, los daños en la ciudad fueron cuantiosos. Aparte de las vidas humanas extinguidas, muchos edificios quedaron destruidos irreparablemente, como el edificio de la Real Caja —cuya bella portada ha sido copiada en el nuevo Palacio del Congreso— que fue dinamitado totalmente.

El Museo de la Toma de Zacatecas fue abierto en 1984 para conmemorar los setenta años de la batalla y dejar testimonio de lo ocurrido en esta ciudad. Es un museo sencillo, de fácil y ameno recorrido. En sus salas se muestran ropas y armas usadas durante la batalla. Ahí se conservan metralletas, escopetas de mano, máuseres, además de un cañón de largo alcance. También es muy interesante un plano de 1906 que muestra como era en esa época la traza urbana de Zacatecas. Junto a esto vale la pena mirar la maqueta de toda la zona donde se desarrolló la batalla; en ella se ha indicado tanto la posición de las tropas revolucionarias, como la de los federales.

También se exhiben copias amplificadas de periódicos de la época y de fotografías, la mayoría de Reginald Kahn, que testimonian los hechos ocurridos en aquella ocasión. Destaca una serie de fotografías de la popular Juana Gallo, mujer legendaria y valiente que encabezó la oposición popular a la persecución religiosa durante los años de 1926 a 1929.

Como complemento a todo este panorama de guerra y violencia, se ha instalado una ambientación con muebles de la época, que si bien nada tienen que ver con la batalla, informan del ambiente que se respiraba en los tiempos de paz.

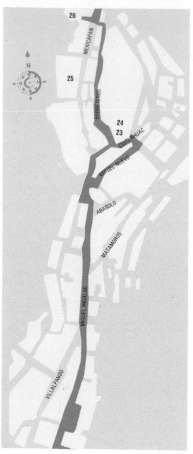

23. Antiguo Templo de San Francisco
24. Exconvento de San Francisco y Museo Rafael Coronel
25. Templo de Jesús
26. Antigua Capilla de Mexicapán

Antiguo Templo de San Francisco

Norte de la ciudad
Tiempo de traslado desde el centro:
10 minutos
Tiempo de recorrido: 20 minutos
Horario: Martes a domingo
de 10 a 17 horas

La orden franciscana fue la primera que llegó a Zacatecas y dejó en estas tierras honda huella; su apasionada labor misionera llegó hasta el heroísmo para abrir caminos a la nueva fe.

Centro de la evangelización en el norte de la Nueva España, el templo del exconvento de San Francisco inicia su construcción en el siglo XVI; su portada presenta la tradicional riqueza de elementos de las obras de esa centuria, como las ricas columnas salomónicas; además, destaca la hermosa ventana octogonal del coro. Por lo que toca al resto del edificio sus muros soportaron el implacable empuje de las bóvedas hasta 1924, cuando la bóveda de la nave central se vino abajo. Queda aún la parte del presbiterio y la cúpula, además de las capillas de San Antonio y Aranzazu, lugar donde se llevan a cabo exposiciones temporales de diversa índole, así como conciertos y otros actos culturales.

Aunque vacío, sin altares ni imágenes de culto, sin pinturas ni antiguos ornamentos, ni feligreses, el recinto del templo ofrece el espectáculo de su vasto espacio, limitado hacia arriba por el incomparable cielo zacatecano.

Interior del antiguo templo de San Francisco y un aspecto del exconvento de esa orden, hoy sede del Museo Rafael Coronel.

PAGINAS ANTERIORES. Vista general del conjunto franciscano, que se ha mantenido desde los primeros tiempos de la ciudad.

El Museo conserva piezas de exquisita delicadeza, como este caballero de terracota elaborado en tiempos de la Colonia, junto a notables ejemplos de la riqueza de las máscaras mexicanas.

Exconvento de San Francisco y Museo Rafael Coronel

Norte de la ciudad
Tiempo de traslado desde el centro:
10 minutos
Tiempo de recorrido: 3 horas
Horario: Jueves, viernes, sábado, lunes y martes de 10 a 14 y de 16 a 19 horas
Domingo de 10 a 17 horas

Ubicado en el exconvento de San Francisco, el Museo Rafael Coronel posee innumerables atractivos, tanto por el acervo que contiene como por el edificio que lo alberga. Fue inaugurado en 1990 y en él se guardan las colecciones que a lo largo de su vida ha reunido el pintor zacatecano Rafael Coronel, quien donó a su estado natal piezas únicas no sólo por su calidad sino porque son excelentes muestras de una parte del vasto arte popular mexicano, reflejado en sus máscaras, sus terracotas y las piezas más exquisitas del arte prehispánico.

De lo que fue el convento de San Francisco quedan sólo ruinas; sin embargo, lejos de ser un inconveniente, es gratísimo marco del museo, que se ha instalado en lo que fueron claustros, celdas, sacristía y biblioteca.

El recorrido se inicia en la *Sala Ruth Rivera,* que ocupa lo que fuera la antesacristía y sacristía del templo franciscano. Aquí se aprecia la poco conocida faceta de Diego Rivera como dibujante arquitectónico, gracias a los diversos dibujos preparatorios que éste hiciera para el museo Anahuacalli, en cuyo proyecto colaboró su hija, la arquitecta Ruth Rivera.

Junto a esto se exhiben también apuntes que el maestro realizó teniendo como tema el Carnaval de Huejotzingo, Puebla; además, pueden admirarse dos estudios para el mural de la fachada del Teatro de los Insurgentes y un autorretrato, *Diego Rivera niño,* pensado para su famoso mural *Sueño de una tarde dominical en la Alameda Central,* que pintara el artista en la ciudad de México. Esta colección se exhibe gracias a la generosidad del nieto del pintor, Diego Coronel Rivera.

Lo más impresionante del recorrido aguarda al visitante en la siguiente sección del museo: *El rostro de México,* que resguarda la colección de máscaras más grande del mundo, y que alcanza el número de cinco mil, de las cuales se exhibe tan sólo la mitad. Aun así, la riqueza de formas y colores es abrumadoramente rica y pone de manifiesto la extraordinaria fantasía e imaginación de los artesanos mascareros mexicanos. Nueve partes conforman esta sección: La Conquista, Moros y cristianos, La dia-

blada, Pastorelas, Las danzas, Máscaras indígenas, El mundo fantástico de las máscaras, Los animales y Popurrí de máscaras; cada una de ellas presenta una serie de las formas que en la tradición popular los danzantes, los brujos o los chamanes han tenido para ocultar el rostro, o mejor dicho, para transfigurarse y de ese modo acceder a otra realidad.

Luego de esta experiencia fascinante, la Sala de la Olla ofrece una selecta muestra de vasijas y recipientes prehispánicos de gran calidad, provenientes del centro del país, las zonas del Golfo y el Pacífico, además de varias piezas mayas. La colección es notable por la riqueza y variedad en formas y decorados. En cada volumen conseguido, en cada forma alcanzada es patente la habilidad que poseían los alfareros de Mesoamérica, quienes lograron piezas de exquisita belleza para ornar lo mismo su vida cotidiana que sus ceremonias y ritos sagrados.

Más adelante, en lo que fuera la

biblioteca del convento, se presenta una colección de más de mil piezas de terracota producidas durante el Virreinato por alfareros del Valle de México. Esta importante muestra constituye el eslabón, la transición entre el arte prehispánico y la influencia de España. Antes de su exhibición en este museo, estos singulares trabajos eran casi desconocidos. Aun ahora se continúa estudiándolos y se cree que eran utilizadas para "poblar" los nacimientos que año tras año se ponían en iglesias y conventos, o bien como juguetes para los niños.

La colección es única; en ella, las más diversas escenas cotidianas se representan con la frescura propia del arte popular. En las piezas se aprecian lo mismo reminiscencias prehispánicas que de la Colonia, pues junto a las figurillas que recuerdan las deidades de los antiguos mexicanos, están otras vestidas a la usanza del siglo XVIII.

Cierran el recorrido dos salas dedicadas a la *Compañía de títeres de Rosete Aranda*. Esta se inició en

Tlaxcala en 1835 y fue fundada por los hermanos Aranda. Posteriormente, y matrimonio de por medio con Luz Aranda, se les unió Antonio Rosete, por lo que la compañía adoptó el nombre con el que hoy se le conoce.

Hacia 1900 había alcanzado tal fama, que su nombre era conocido no sólo en nuestro país sino en el extranjero. Con la llegada de la Revolución y la muerte de Antonio Rosete, sobrevino una etapa de crisis que pareció hallar su fin en 1943, cuando Carlos Espinal compró un lote de marionetas y obtuvo el permiso para usar el nombre de la ya legendaria compañía. Con todo, estos esfuerzos no perduraron mucho tiempo, pues Carlos Espinal murió en 1952. Tras numerosos pleitos legales, Francisco Rosete —que aún trabajaba con una parte de los títeres en Huamantla— no pudo recuperar el tradicional nombre. Los títeres fueron abandonados y la llegada de nuevos espectáculos aceleró el fin de la compañía, cuyas marionetas se vendieron y dispersa-

106

ron por México y el extranjero.

Uno de los afortunados compradores fue Rafael Coronel, quien adquirió un lote de aproximadamente 320 muñecos, parte del cual se expone en este museo. Para presentarlos al público se ha evocado la escenografía que algún día tuvieron ya como solistas, ya en grupos; con ello se logra que el visitante recuerde o imagine cómo fueron las funciones en los teatros infantiles de ayer.

Estas salas concluyen la visita a un museo del que no debe dejar de subrayarse la espléndida museografía, ni la afortunada elección del lugar. Luz, sombras, distribución de las piezas, muros, ventanas, techos y decorados se aúnan para dar forma a uno de los mejores museos de arte popular no sólo de México, sino del mundo. El antiguo convento franciscano, ayer eje de una forma de la vida espiritual, es hoy eje de otra no menos profunda y rica, la que provocan todas y cada una de las piezas que causan en el visitante un asombro genuino.

Antigua Capilla de Mexicapán

Broche de oro de la visita al Museo Rafael Coronel será visitar la antigua capilla de Mexicapán, que se encuentra al norte de la ciudad, muy cerca del exconvento de San Francisco, primera orden que llegó a Zacatecas.

Cada dos de febrero se lleva ahí, desde el cercano Templo de Jesús —terminado de construir en 1873— a la Virgen de la Candelaria, imagen que tuvo su primera casa en la ahora derruida capilla.

Sólo en esa ocasión el recinto se llena de cantos y plegarias, de música y de feligreses. El resto del año, permanece sola, como ermitaño de piedra.

Aunque ya perdidos los techos y en ruinas bautisterio y sacristía, lo mismo que su única nave, la antigua capilla de Mexicapán contiene la melancolía que sólo provocan las ruinas de los recintos religiosos.

PAGINA ANTERIOR. En El Sarao, los títeres de Rosete Aranda continúan con su fiesta iniciada en el siglo pasado.

La antigua capilla de Mexicapán, lugar en donde de la piedra surge una espiritualidad auténtica y sencilla, acaso la misma que inspiró a los franciscanos que la construyeron.

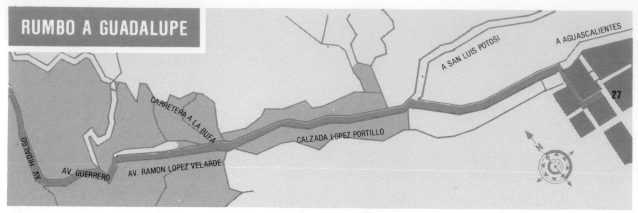

27. Templo y Museo de Guadalupe

Templo y Museo de Guadalupe

Tiempo de traslado: 20 minutos
Tiempo de recorrido: 2 horas y media
Horario: Martes a domingo
de 10 a 17 horas

Los famosos colegios de propaganda Fide comenzaron a instituirse en Nueva España a fines del siglo XVII. Los primeros fueron el de Santa Cruz, en Querétaro, y el de Antigua, Guatemala. A ellos siguió el Colegio Apostólico de Propaganda Fide de Nuestra Señora de Guadalupe, en Zacatecas, que abrió sus puertas el 12 de enero de 1707.

Su nivel de estudios y magnífica biblioteca —que llegó a tener más de veinte mil volúmenes—, así como la espléndida construcción donde se asentó le dieron un lugar destacado entre otras instituciones de su clase. De ahí partían también misiones franciscanas con el objetivo de evangelizar el norte de la Nueva España; para esos heroicos viajes era necesario tener en buenas condiciones lo mismo bestias de carga y tiro que carretas; por ello, el colegio contaba con amplias caballerizas y talleres de carrocería y fragua, ahora perdidos.

En 1859 y como resultado de las leyes de Reforma quienes habitaban en el colegio se vieron forzados a abandonarlo. En 1930 el inmue-

ble pasó a manos del Instituto Nacional de Antropología e Historia, quien lo convirtió en uno de los museos más importantes no sólo de Zacatecas, sino de todo México.

Ya desde la entrada al sencillo atrio comienza la fascinación frente al templo, construido en el siglo XVIII y que es un notable ejemplo del barroco que se desarrolló en México. En especial destaca el trabajo realizado en las columnas de la portada que, por el tratamiento en tres formas de su fuste, reciben el nombre de "tritóstilas"; en ellas la parte superior ha sido labrada con la técnica llamada "petatillo".

En el primer cuerpo de la portada, a la derecha, se encuentran la madre Agreda y el filósofo Juan Duns Escoto. A la izquierda San

Lucas pinta a la Virgen, mientras abajo de ellos San Juan observa la escena. En la paleta de San Lucas se han representado los colores con piedras muy usadas en la época prehispánica, como la obsidiana. Un detalle sobresaliente en la fachada es que en la clave del arco de la puerta, la Virgen de Guadalupe está sostenida por San Francisco y no por un ángel, como es costumbre.

De las dos torres que tiene la iglesia, sólo una, la de la derecha, es de la época en que fue construida; la otra se hizo a fines del siglo XIX, y fue construida por el alarife zacatecano Refugio Reyes.

El interior del templo es de majestuosa belleza, pues el espacio se ha aprovechado con inteligencia y sensibilidad. Destaca una hermosísima Virgen del Rosario, situada a la derecha de la nave y cuyo rostro cambia de una serena y dulce belleza a un gesto más severo, según el ángulo desde el que se le observe. También se puede admirar una Virgen del Refugio, que cuenta con un espléndido marco de plata dorada de estilo neoclásico.

La entrada al templo de Guadalupe prepara al visitante para admirar el lujo deslumbrante de la Capilla de Nápoles.

Pero sin duda uno de los mayores atractivos es la imponente Capilla de Nápoles. Construida en el siglo XIX por el fraile Juan Bautista Méndez, fue dedicada a la Inmaculada Concepción, de la que se posee una imagen donada por Isabel Farnesio —princesa de Nápoles y reina de España— y que la tradición cuenta que fue hecha en Nápoles, ciudad de la cual toma su nombre la capilla. Entre sus múltiples bellezas cuenta con unos extraordinarios candiles de calamina y figuras de ángeles de Sévres, que hoy pueden admirarse a través de dos rejillas, una situada en el templo y otra en lo que es el coro de la iglesia, al que se accede por el museo.

Para llegar a éste se entra por el portal de peregrinos y el recorrido se inicia en lo que fue la portería. En ese primer espacio está una *Virgen del Refugio* y un retrato del célebre misionero *Fray Antonio Margil de Jesús*, fundador del convento de Guadalupe; además de una banca del siglo XVIII con los escudos de las diferentes órdenes que asistían a las ceremonias protocolarias del colegio.

Más adelante se encuentra el Cristo de las Lágrimas, escultura anónima, probablemente de origen michoacano, que no obstante su tamaño —más de un metro de largo— es muy ligera, pues está hecha de pasta de caña de maíz. El siguiente espacio es el claustro de San Francisco, donde se exhiben varias pinturas surgidas del pincel de fray Antonio Oliva, quien pintó la vida del Santo de Asís en una serie de cuadros de grandes dimensiones. En ella aparecen los retratos de los frailes fundadores de este convento y probablemente el mismo autor.

Al subir a la planta alta del convento, el visitante encuentra en el cubo de la escalera las pinturas monumentales que el museo guarda celosamente. Una de las más bellas es la *Virgen del Apocalipsis* de Miguel Cabrera, pintor oaxaqueño de reconocida fama y gran talento; de este artista también se encuentra en el muro central el cuadro *El Patrocinio de San Francisco*, donde se repite el tema de la fachada y San Francisco sustituye al ángel que regularmente está a

Arriba, nubes petrificadas por la mano del canterero. Enfrente, una parte del deambulatorio del claustro menor, que se halla enriquecido con la narración pictórica de una vida ejemplar: la de San Francisco de Asís.

los pies de la Virgen de Guadalupe. La Virgen cubre con su manto a los fundadores de este convento, entre los que destaca fray Antonio Margil de Jesús. En esta pintura Miguel Cabrera se autorretrató en el lado derecho.

Con todo, el cuadro más impresionante es la obra de Nicolás Rodríguez Juárez, *San Cristóbal*, cuya enorme figura domina la composición.

Otros tesoros surgen durante el recorrido, como la capilla de la enfermería, obra maestra de la arquitectura colonial, y dentro de ella el magnífico cuadro de Juan Correa: *Nuestra Señora de los Zacatecas;* en esta pintura debe destacarse la belleza de la joven donante, que, por la rica indumentaria y joyas que porta, bien podría tratarse de la condesa de San Mateo de Valparaíso.

Dos joyas del Museo de Guadalupe: el San Cristóbal, de Rodríguez Juárez, y El beso de Judas, de Gabriel José de Ovalle.

112

Una de las presencias más originales del museo es la del zacatecano Gabriel José de Ovalle. Poco se sabe de este artista, si bien sus cuadros demuestran un alejamiento de la Academia, lo que les da una viveza y una fuerza insólitas. El museo posee poco más de una docena de obras de Ovalle, y hasta donde se sabe son las únicas que se han conservado. Este artista destaca por su peculiar sentido de la composición, patente en la serie dedicada a la *Pasión de Cristo*. Afecto a los colores fuertes, Ovalle logra un profundo dramatismo en el trabajo de los muchos rostros que pueblan los cuadros de esta serie. Si bien todos son de una gran calidad, destaca el titulado *La Verónica*, donde la faz de Jesús se ha representado no sólo en el paño que limpió su rostro y en la figura que carga la cruz, sino también en Simón Cirineo y en un personaje situado atrás de Cristo. La manera en que deforma los rostros es particularmente expresiva, tanto como su abigarrada mezcla de colores. Se le ha acusado de amontonar figuras, lo cierto es que en ese amontonamiento se percibe el deseo de representar un caos, el caos que en el momento de la Pasión rodeaba al Redentor. Al ver la obra de este pintor vienen a la mente las palabras del prestigiado historiador de arte Francisco de la Maza, quien vio en Ovalle la fuerza expresiva del arte popular y elogiándolo escribió: "es en el naturalismo barroco del pueblo, naturalismo libre y sincero, con una conciencia por fortuna inculta, donde está la flor más atrayente de nuestra pintura colonial, que se prolonga en ricos veneros hasta nuestros días".

PAGINAS SIGUIENTES: La biblioteca del Museo de Guadalupe alguna vez llegó a contener más de 20 mil volúmenes.

113

116

No desmerecen en forma alguna varias esculturas en distintos materiales que forman parte de la rica iconografía católica y que proceden lo mismo de Nueva España que de las Filipinas o Europa.

En el segundo piso se encuentra también la biblioteca con grandes tesoros bibliográficos y que alguna vez alcanzó los veinte mil volúmenes, algunos de los cuales se perdieron durante la Reforma; en la actualidad una buena parte del acervo (quince mil volúmenes aproximadamente) se conserva en la Biblioteca Elías Amador, del Museo Pedro Coronel.

Posteriormente se llega a lo que es la sala de fuelles del templo, ahí están dos magníficas muestras del arte plumario indígena del siglo XVI, las imágenes de *San Pedro y San Francisco de Asís*. De aquí se pasa al coro, donde vale la pena detenerse para admirar su hermosa sillería, así como una escultura móvil de San Francisco. También destaca en este recinto la finura y serena belleza de la Virgen de Passau, que está localizada frente al órgano y que es obra de Nicolás Rodríguez Juárez.

Antes de terminar el recorrido conviene detenerse en lo que se conserva de las antiguas celdas franciscanas; una de ellas contiene los objetos personales del padre Margil, que conforman un interesante testimonio de lo que fue la vida cotidiana en este recinto. Muchas otras riquezas aguardan al visitante atento; descubrirlas es parte del atractivo de este museo que posee una de las más grandes colecciones de pintura colonial en México.

PAGINA OPUESTA. Un aspecto del coro del templo de Guadalupe, cuya atmósfera de recogimiento envuelve al visitante. Abajo, Nuestra Señora de los Zacatecas, obra de Juan Correa, y el Patrocinio de San Francisco, de Miguel Cabrera.

Al final del recorrido por el Museo de Guadalupe se puede visitar el Museo Regional de Zacatecas, del que aquí se muestra la fachada. En su interior se guardan algunos transportes de diversas épocas de la historia de Zacatecas. A pocos kilómetros de Guadalupe se encuentran los silos de Santa Mónica, de los cuales se aprecia una vista general en las páginas siguientes.

ALREDEDORES

No sólo la ciudad de Zacatecas, sino el estado entero está lleno de múltiples y variados atractivos que se ofrecen a quienes deseen emplear su tiempo para visitarlos. Todos se encuentran a poca distancia de la ciudad –máximo 3 horas– y guardan vetas de inenarrable belleza. De ellos merecen destacarse la Exhacienda de Bernárdez, Hacienda Trancoso, Jerez, La Quemada, Sombrerete, Chalchihuites y la imponente Sierra de Organos. Los tiempos de llegada se refieren a paseos hechos en auto.

Sierra de Organos.

Capilla y Exhacienda de Bernárdez

Tiempo de traslado: 20 minutos
Tiempo de recorrido: media hora

Vista general y capilla de la Exhacienda de Bernárdez.

Esta hacienda de beneficio minero tuvo una gran importancia durante la Colonia por ser una de las más ricas de la región. La fundó el capitán Ignacio de Bernárdez, gran benefactor del cercano convento de Guadalupe y que murió en Zacatecas en 1717.

El capitán Bernárdez no sólo fundó la hacienda que aún hoy lleva su nombre, sino que fue dueño también de la mina La Cantera, así como sagaz comerciante y hábil político que llegó a ser en Zacatecas Alcalde Ordinario y Teniente del Corregidor. Su riqueza sólo halló par en su generosidad, ya que con su fortuna patrocinó numerosas obras de mayor o menor tamaño, siempre en beneficio de los cuerpos o las almas de los habitantes más necesitados de Zacatecas. De su hacienda se conserva la capilla, construida en el siglo XVIII y que ostenta una portada barroca. En su interior se encontraba un retablo de importancia, pero fue quemado con el deseo de obtener el oro que refulgía en esa pieza. Para dar una idea, así sea harto pálida, de lo que fue aquella pieza se ha dibujado una reproducción del retablo en la pared donde estuviera.

La exhacienda de Bernárdez es hoy sede de una importante escuela de plateros, cuyas piezas diseñadas y elaboradas ahí mismo, han ganado el reconocimiento no sólo de México sino también de varios lugares en el extranjero.

Hacienda Trancoso

Tiempo de traslado: media hora
No hay visita al público

Junto a la riqueza minera, la agropecuaria jugó en Zacatecas un papel importante en el desarrollo del estado. Tan importantes como las minas, fueron las haciendas. De éstas, las más importantes fueron San Mateo, Santa Mónica, Cedros, El Carro, San Nicolás de Quijas, San Antonio de Padua y Trancoso; esta última, propiedad de la familia García, y que aún sigue en pie, jugó un papel decisivo no sólo en la economía estatal sino nacional.

Durante el siglo XIX, Trancoso alcanzó una importancia capital en la región; sin embargo, su apogeo llegó durante el Porfiriato, cuando toma la vanguardia no sólo en lo económico sino también en la exploración de nuevas tecnologías que ayudaran a la producción. Así, en 1849 se hizo traer al holandés Ted Fokker para industrializar la leche de la hacienda. Aunque este proyecto se realizó, no fructificó debido a lo alto de los precios de los productos que se obtenían.

Por lo que toca a la ganadería, Trancoso destacó en todos y cada uno de los tipos de ganado, alcanzando altas producciones no sólo en animales sino también en diversos derivados como lana, leche o quesos. Cosechaba trigo, frijol, papa, chile, entre otros cultivos. La fama de su fortuna trascendió las fronteras de nuestro país y magnates extranjeros se interesaron por comprar tan próspera hacienda, que para fines del siglo XIX había mecanizado buena parte de las faenas del campo. Problemas tan frecuentes como el suministro de agua, Trancoso los resolvió construyendo su propia presa, además de adquirir varias perforadoras de pozos artesianos. Otro importante intento de ir más allá de su tiempo fue el esfuerzo hecho por la hacienda para abrir una granja-escuela. Desgraciadamente el intento fue interrumpido por la Revolución.

La familia García, dueña única de Trancoso, prosperó a tal grado que no sólo tuvo ingerencia en la ganadería sino también en las otras ramas de la actividad económica zacatecana e incluso nacional. Puede afirmarse que prácticamente no hubo empresa o industria que de un modo u otro no tuviera que ver con esta singular hacienda.

Restos de ese antiguo poderío quedan en la actual hacienda, que al ser propiedad privada, no está abierta al público. Sin embargo, vale la pena mencionar la hermosa cripta familiar y su sencilla pero exquisita capilla.

Vista general y mausoleo de la Hacienda Trancoso.

123

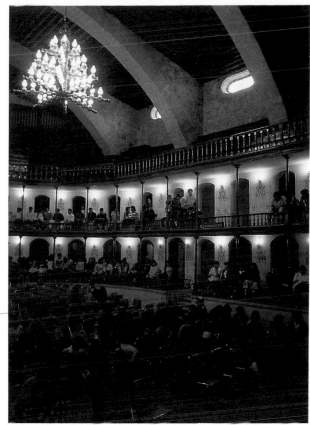

Jerez

Tiempo de traslado: 1 hora
Tiempo de recorrido: 1 día

Jerez es un cúmulo de bellezas arquitectónicas que vale la pena visitar. La ciudad se fundó hacia 1565; pero algunos historiadores la remontan hasta 1530, cuando llegó ahí Pedro Almíndez Chirinos. En 1536, un grupo de franciscanos ofició misa en esa villa que llegó a recibir distintos nombres: Villa de San Ildefonso, Estancia de Santo Domingo de Guzmán, Valle Amaya de los Zacatecos, pero el que alcanzó más popularidad fue Pueblo de Santiago de Nueva Galicia. No se sabe cuándo se le puso el nombre de Jerez de la Frontera; pero ya para 1605 la villa era conocida por ese nombre.

Ya en el siglo XIX, Jerez fue importante en la vida cultural zacatecana; así, el 5 de noviembre de 1831 se fundó, a instancias del entonces gobernador del estado, Francisco García Salinas, el Instituto Literario García, mismo que en 1837 se trasladaría a la ciudad de Zacatecas para convertirse, con el paso del tiempo, en la Universidad Autónoma de Zacatecas.

Por lo que toca a su arquitectura destacan dos magníficas construcciones: la Parroquia de la Inmaculada Concepción y el Santuario de la Soledad. La primera se comenzó a construir en 1727; para 1739 ya se habían cerrado las bóvedas. La fachada, de delicioso trabajo se terminó en 1747. Sin embargo, junto a esto presenta en el resto del exterior una lamentable decoración moderna que se hizo hacia la década de los treinta. La edificación del Santuario de la Soledad se inició en 1805 y se terminó casi al finalizar el siglo XIX. De este templo quizá lo más hermoso sea el pórtico del atrio de magnífica belleza, arco ojival y agrupamiento de columnas en sus lados, todo ornado con un magnífico trabajo de cantería.

Aunado a esto no debe olvidarse el Panteón de Jerez, que guarda muchos labrados en cantera que engalanan los mausoleos que pueblan este cementerio. Tampoco el Teatro Hinojosa ni el bellísimo jardín del siglo XVIII que lleva el nombre de su constructor: Rafael Páez, donde sobresale el quiosco octogonal de estilo morisco y delicada factura.

PAGINA OPUESTA. Jerez, siempre fiel a su espejo diario.

Pórtico del Santuario de la Soledad e interior del Teatro Hinojosa.

La Quemada

Tiempo de traslado: 1 hora
Tiempo de recorrido: 2 horas
Horario: Martes a domingo de 10 a 17 horas

Por la misma carretera que lleva a Jerez, pero tomando una desviación muy fácil de seguir, se llega desde Zacatecas a las imponentes ruinas de La Quemada.

La construcción se integra de forma magnífica al paisaje, sobre todo a los acantilados cercanos. No se ha llegado a precisar quienes la edificaron, pero sin duda pertenecen a la misma cultura que edificó Chalchihuites. Se cree que estuvo poblada de 350 d.C. a 1000 d.C. y que su apogeo fue hacia 550 d.C. Luego de vivir ahí, abandonaron la ciudad, por motivos que aún se desconocen.

También se ha aventurado la hipótesis de que era un centro es- tratégico donde se cruzaban los antiguos caminos prehispánicos, y que era frecuentado, en son de guerra o pacíficamente, por la mayoría de las tribus de la región, lo mismo zacatecas que caxcanes. Aún hoy es motivo de ritos huicholes, quienes en el Salón de las Columnas reali- zan poco antes del equinoccio de primavera una ceremonia a la que nadie ajeno puede entrar. Durante ella depositan ofrendas, y se cree que es una ceremonia de purifica- ción durante la cual se honra al peyote.

Varias partes forman el conjun- to de La Quemada. La primera es el ya mencionado Salón de las Colum- nas, espacio que estuvo techado y que probablemente fungía como centro político y religioso. Inter- nándose más en este antiguo asen- tamiento, se aprecian restos de lo que fue el Juego de Pelota, tan popular en toda Mesoamérica. Sin embargo, llama poderosamente la atención una pirámide votiva si- tuada al norte del conjunto de la que se desconocen todavía sus fun- ciones. Hacia el poniente se levan- ta una imponente mole de edificios que van ascendiendo por el cerro del cual parecen formar parte. Ahí está el marcador astronómico, el llamado "cuartel" —sin que se haya comprobado que ahí hubiese solda- dos—, además de lo que se cree fue un centro ceremonial.

Derruida e imponente, La Quemada conserva el sabor del misterio que sólo la lejana grandeza inspira y que se manifiesta claramente en el Salón de las Columnas.

Sombrerete

Tiempo de traslado: 3 horas
Tiempo de recorrido: 1 día

Esta ciudad es, después de Zacatecas, la que guarda mayores riquezas arquitectónicas coloniales. Fundada el seis de junio de 1555, su nombre se debe a un cercano cerro llamado Sombreretillo, que tiene la forma de un sombrero como los usados en el siglo XVI. Entre sus principales riquezas es justo señalar la Parroquia de San Juan Bautista, construida en el siglo XVIII y que ostenta una portada barroca de tres cuerpos; el Templo de Santo Domingo, edificado en el siglo XVII, además del Convento de San Mateo, erigido en el XVI por la orden franciscana.

A sólo una hora de Sombrete se encuentra uno de los asentamientos prehispánicos más importantes del norte de México: Chalchihuites. No obstante lo oscuro de sus orígenes, se sabe que los pobladores de Chalchihuites se dedicaban a la minería, la agricultura y el comercio y, a juzgar por las piezas de cerámica que se han hallado, su cultura alcanzó un gran refinamiento. El 21 de marzo el lugar es visitado por cientos de personas cuyo sólo deseo es recibir al sol nuevo, tras su muerte invernal. Ese día, por uno de los corredores del observatorio, el primer rayo del sol de primavera sale por la punta de un picacho e ilumina el corredor opuesto del recinto.

Para quienes gustan del contacto con la naturaleza aun más cercano, Zacatecas guarda un sitio muy cerca de Sombrerete y Chalchihuites: Sierra de Organos, lugar ideal para practicar el montañismo o simplemente para admirar las caprichosas formas que en ese lugar han adquirido las rocas con el paso del viento y de los inviernos.

A pocos kilómetros de los edificios de Sombrerete, donde parecen fundirse arquitectura y tierra, se halla la imponente Sierra de Organos.

131

Plateros

Tiempo de traslado: 1 hora y media
Tiempo de recorrido: 2 horas

Ubicado a unos kilómetros de Fresnillo, ciudad vecina a Zacatecas, el Santuario de Plateros es uno de los lugares que más veneración inspira a muchos mexicanos. Ahí se encuentran dos imágenes que han cautivado el fervor de miles de peregrinos: el Señor de los Plateros y el Santo Niño de Atocha.

Nadie sabe cómo llegó a México el Santo Niño de Atocha; lo cierto es que su veneración se extiende más allá del territorio nacional y ha llegado incluso a España, donde también se le rinde culto. El Niño es representado como un viajero en reposo, pero siempre listo a partir, con su bule lleno de agua y su sombrero, elementos típicos de los peregrinos coloniales.

El templo que cobija la imagen es de fines del siglo XVIII; su portada barroca contrasta con el resto de los muros, totalmente pintados de blanco. En esa portada se honra al Señor de los Plateros, no sólo representando su imagen, sino también por alusiones a su Pasión, hechas con sabio manejo de la cantera. Junto al templo se levantó en 1882 el Salón de los Retablos, que guarda numerosas muestras de este arte popular que testimonia lo milagroso de la imagen.

**Diferentes formas de una
sola devoción, año con año
renovada.**

133

LA RIQUEZA DE LAS TRADICIONES

𝒰nido a sus raíces, desde un principio profundas, Zacatecas ha seguido el consejo de Ramón López Velarde, su mayor poeta, y ha sabido ser fiel a su espejo diario; esto es, permanecer afianzado a la detenida movilidad de la tradición. Lo mismo religiosas que civiles, sus fiestas son reflejo de una vida profunda, siempre llena. Las peregrinaciones, los bailes, las fiestas en los santuarios reafirman la identidad zacatecana, cada día.

La Morisma

FOTO: JORGE VERTIZ

Año con año, durante tres días de agosto, se lleva a cabo una de las fiestas populares más impresionantes que hay no sólo en Zacatecas, sino en todo México: La Morisma.

A no dudar, una de las tradiciones más extendidas en México son las danzas de moros y cristianos, cuyo origen se remonta a los inicios de la Colonia. Ya en 1538 se celebró la paz concertada entre Francisco I y Carlos V con una morisma. Con el tiempo estas celebraciones fueron adquiriendo más y más importancia hasta reunir todos los elementos de una representación teatral rica y compleja. Durante el arduo periodo de evangelización, las morismas sirvieron para acrecentar la fe de los indígenas y no sólo para divertir a un determinado público. En la ciudad de México, tanto como en los estados de Puebla, Michoacán y Tlaxcala se realizan periódicas danzas de moros y cristianos; pero ninguna tan espectacular como La Morisma de Zacatecas. Se han querido encontrar los orígenes del argumento que anima esta fiesta; la tesis que posee más adeptos es la que ubica ese origen en la novela de Pérez de Hita *Guerras civiles de Granada*. En la segunda parte de esa obra se relata la rebelión de los moriscos en 1568, así como la forma en que fue sofocada por Juan de Austria. Tal vez sea así, pero éste es sólo uno de los orígenes, pues toda tradición popular tiene varios afluentes, si bien no siempre pueden distinguirse. Otros elementos se integraron a La Morisma, algunos españoles, otros indígenas; muchos provenientes ya del México independiente.

La Morisma se lleva a cabo en Bracho, un vasto descampado situado al noroeste de la ciudad. Los actores no son improvisados sino que pertenecen desde niños a la Cofradía de San Juan Bautista. Larga es la preparación que debe tener un participante en este espectáculo; para llegar a desempeñar los papeles principales hace falta ganarlo a fuerza de tesón, esfuerzo y antigüedad.

En el vestuario de los ejércitos hay una abigarrada mezcla de épocas. Los soldados moros portan uniformes de zuavo francés; para distinguirse de los soldados, los jefes moros ostentan un cinturón de terciopelo con una luna, símbolo del Islam, además de llevar un turbante que enfatiza su jerarquía.

Los cristianos portan pantalón blanco, botas negras y camisa roja. Ambos ejércitos luchan con rifles y son acompañados por sus respectivas bandas de música.

La Morisma se inicia con el reto de Fierabrás al emperador Carlomagno; ante esta afrenta, el caballero Oliveros, fiel súbdito de Carlomagno, captura y convierte al cristianismo al infiel ofensor. Esto marca el inicio de los combates que llegan a realizarse en varios frentes, siempre con el deseo de convertir —o matar— al infiel. Pero no sólo es la lucha en territorios diversos, sino que también se pelea en siglos distintos. Así, luego del episodio entre Fierabrás y Carlomagno, se representa, ya en la tarde, el enfrentamiento de don Juan de Austria con el Gran Turco Argel Osmán.

El argumento prevé que primero triunfen los cristianos, cualquiera que sea el frente donde luchen, luego los moros y finalmente los cristianos. Esta victoria definitiva se logra cuando don Juan de Austria logra cortar la cabeza del Rey Moro, misma que se exhibe en la punta de una lanza al público asistente. Con música interpretada por moros y cristianos termina La Morisma, una tradición que año con año reverdece.

La marcha a ritmo de tambores por las colinas de Bracho, a veces se detiene para tomar un respiro en la mítica batalla.

El maestro Juan Pablo García en la Plaza de Armas, toda una tradición musical en las calles de Zacatecas. Como tradicional es el atuendo con el que la joven danzante de la foto inferior se ha ataviado.

La Feria de Zacatecas

Para celebrar la fundación de la ciudad de Zacatecas se organiza, del cinco al 21 de septiembre de cada año, la Feria Nacional de Zacatecas. Durante ella se realizan las festividades de la Virgen del Patrocinio, que alcanzan su clímax el ocho de septiembre. Junto a esto se llevan a cabo numerosos eventos que engalanan la ciudad y que convierten a Zacatecas en el centro de la atención de todo México.

Las exposiciones ganadera, agrícola, industrial y artesanal ofrecen lo mejor que en estos campos produce la región. En la Plaza de Toros y el Lienzo Charro se reviven viejas tradiciones, siempre presentes en la vida zacatecana. Asimismo, conciertos de música de la más diversa índole, así como veladas literarias y diferentes espectáculos convierten a la ciudad en foro de manifestaciones artísticas de alto nivel.

139

Charrería

Al ser Zacatecas región ganadera, no podía estar ajena a la tradicional charrería; de hecho se asegura que es en este estado donde surgió esta fiesta mexicana, junto con el típico traje de charro, diseñado a partir del clásico traje de campo español, al que se le añadió el gran sombrero hoy de sobra conocido. Durante la Feria Nacional de Zacatecas se pueden apreciar a expertos charros zacatecanos y de otras regiones del país mostrando su valor y pericia en las diversas suertes de la charrería como el jaripeo, las coleadas o el floreo de la reata o la monta de novillos.

Fiesta Brava

Muy antigua es la tradición taurina de la ciudad de Zacatecas, pues ya en 1593 se organizaban corridas de toros para beneplácito de sus moradores. Numerosos también son los lugares donde se practicó la tauromaquia, como la Plaza del Progreso, construida durante el siglo XIX y donde se llevó a cabo, el 19 de octubre de 1902, una de las primeras corridas nocturnas de las que se tiene recuerdo. Otro coso de importancia es la Plaza de Toros de San Pedro, localizada al sur de la ciudad y convertida hoy en un moderno hotel de lujo. Junto a esto, destaca la ya larga tradición zacatecana en lo que respecta a la cría de toros de lidia, donde merecen lugar destacado las ganaderías de San Mateo, Malpaso y Trancoso. Hoy como ayer, los toreros de más cartel consideran a Zacatecas una de las plazas más importantes de la República y a ella acuden en numerosas ocasiones todo el año, pero sobre todo durante la Feria Nacional de Zacatecas.

Las labores del campo han generado una rica gama de objetos, algunos de gran lujo; esos arreos son parte importante de la charrería, actividad en la que Zacatecas tiene un lugar destacado.

LAS MANOS DE ZACATECAS

Otra veta inagotable de Zacatecas la constituye la habilidad e ingenio de sus artesanos. Las obras que surgen de sus manos se hacen muchas veces con los materiales que recuerdan las actividades que dieron fama al estado. Así, la lapidaria y el trabajo de la cantera en las más diversas formas nos recuerda el origen minero de la ciudad; la talabartería y el pitiado, traen a la memoria la ganadería.

También han ganado justa fama en la región el deshilado y la marquetería; estas artesanías por su delicada factura engalan no sólo los hogares y el vestido de los zacatecanos, sino de los numerosos visitantes que de la ciudad se llevan un recuerdo que han de integrar a su vida cotidiana.

La tradición canterera de Zacatecas se remonta hasta los primeros años de vida de la ciudad; si bien los tlaxcaltecas llevaron esta técnica a la región, sin duda en la actualidad no hay quien supere el espléndido trabajo de los cantereros zacatecanos, cuya fama trasciende las fronteras de nuestro país. Por su parte la platería, como en los principales centros mineros, ha sido artesanía cultivada con esmero. Fruto de esta tradición y raíz de una nueva es la Escuela de Plateros que se encuentra en la Exhacienda de Bernárdez, a sólo 20 minutos de Zacatecas. El trabajo del cuero rivaliza con el deshilado y el tejido de sarapes en variedad de formas y diseños, presentes siempre en las cotidianas tareas de los zacatecanos.

La gastronomía tradicional
de Zacatecas abarca desde
el típico queso de tuna
hasta el asado de boda,
platillos que se pueden
saborear en los restaurantes
de esta ciudad, luego de un
excelente mezcal —de los
muchos que produce
Zacatecas— como aperitivo
y acompañados de los

magníficos vinos que la
región produce. Asimismo,
Zacatecas posee una
moderna y adecuada
infraestructura hotelera que
le permite ofrecer durante
todo el año los mejores
servicios a sus visitantes
que, ya por motivo de
negocios, ya por esparcimiento,
visitan esta bella ciudad.

ERTO

INSTALACIONES DE LA FERIA DE ZACATECAS

A SAN LUIS POTOSI

A AGUASCALIENTES

LIENZO CHARRO

RUMBO A GUADALUPE

27. Templo y Museo de Guadalupe

CALZADA UNIVERSIDAD

CALZADA LOPEZ PORTILLO

HOTELES

NOMBRE	No. HABIT.	DIRECCION	TELE- FONO	CATE- GORIA
Hotel Quinta Real	50	Av. González Ortega	291 04	★★★★★
Hotel Paraíso Radisson	117	Av. Hidalgo 703, frente a Palacio de Gobierno	261 83	★★★★
Hotel Gallery	133	López Mateos y Callejón del Barro	233 11	★★★★
Hotel Aristos	104	Lomas de la Soledad s/n	217 88	★★★★
Hotel Plaza	62	López Portillo s/n	312 19	★★★★
Suites Hostal del Vasco	9	Callejón de Velasco s/n	204 28	★★★★
Hotel Posada de la Moneda	36	Av. Hidalgo 413	208 81	★★★
Hotel María Benita	64	Av. López Velarde s/n	266 45	★★★
Mesón del Bosque	61	Paseo Díaz Ordaz s/n	207 45	★★★
Mesón de Zacatecas	64	Av. R. López Velarde 602	203 28	★★★
Hotel Posada de los Condes	57	Av. Juárez 18	210 93	★★★
Hotel Paraíso Gami	30	Blvd. López Mateos 309	280 05	★★
Hotel Condesa	60	Av. Juárez 5	211 60	★★
Hotel Colón	27	Av. López Velarde 5089	204 64	★★
Hotel La Barranca	43	Blvd. López Mateos 401	214 94	★★
Mesón El Convento	24	Km. 3 Carretera Zacatecas a Guadalupe	208 49	★★
Mesón Samil	30	Desviación tránsito pesado, entronque El Orito	279 70	★★
Hotel del Parque	24	Av. González Ortega 302	204 79	★
Hotel Río Grande	17	Calzada de La Paz 217	253 49	C.E.
Hotel Zamora	28	Plazuela de Zamora 303	212 00	C.E.
Hotel Morelos	18	Morelos 825	225 05	C.E.
Hotel Insurgentes	24	Insurgentes 114	234 19	C.E.

Informes: Dirección de Turismo
Tel.: 266 83 y 284 67
Av. Hidalgo y Callejón del Santero, C.P. 98000
Zacatecas, Zac.

C.E. Categoría Económica

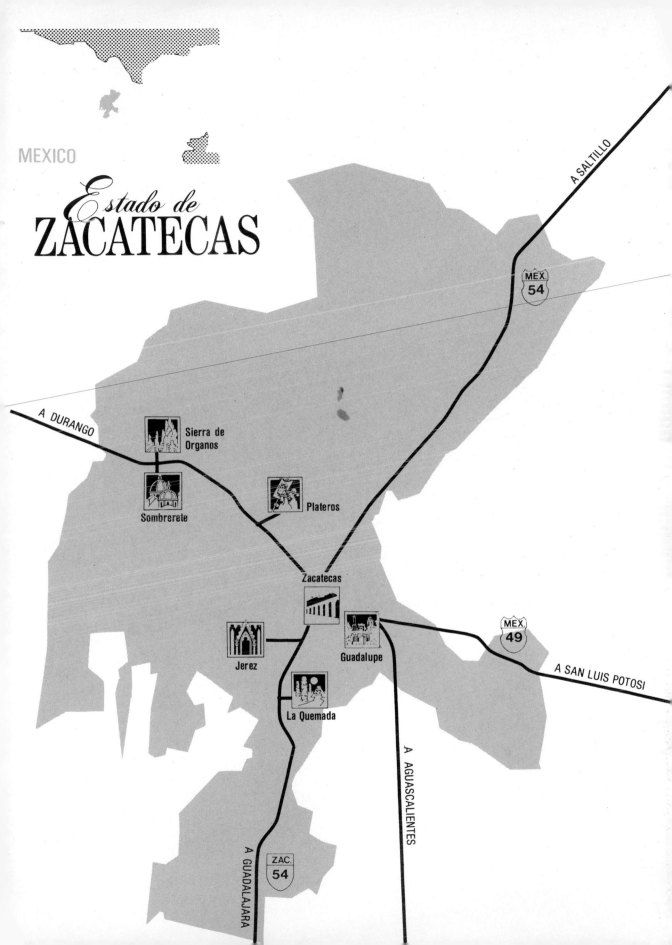

MEXICO

Estado de
ZACATECAS

A SALTILLO

MEX. 54

A DURANGO

Sierra de Organos

Sombrerete

Plateros

Zacatecas

Jerez

Guadalupe

MEX. 49

A SAN LUIS POTOSI

La Quemada

A AGUASCALIENTES

A GUADALAJARA

ZAC. 54

22

EL CORAZON DE LA CIUDAD

* Oficina de Turismo

1. Catedral
2. Palacio de Gobierno
3. Excasa de los Gobernadores

4. Palacio de Mal
5. Mercado Jesús
6. Teatro Calderó

UNA VETA AL PONIENTE

7. Iglesia de Santo Domingo
8. Museo Pedro Coronel
9. Casa de Moneda
10. San Agustín

11. Congreso del Es
12. Unión Ganadera
13. Alameda Trinida

EN EL SUR, UN ACUEDUCTO

14. Acueducto de El Cubo
y Antigua Plaza de Toros de San Pedro

15. Museo Goi

CAMINO A LA BUFA

16. Mina El Edén
17. Estación del Teleférico
18. Observatorio Meteorológico
19. Santuario del Patrocinio

20. Museo de la To
21. Plaza de la Re
22. Mausoleo de lo

HACIA EL NORTE A CIELO A

23. Antiguo Templo de San Francisco
24. Exconvento de San Francisco y Museo Rafael Coronel
25. Templo de Jesús
26. Antigua Capilla de Mexicapán

CALZADA UNIVERSIDAD

CARRETERA A LA BUFA

CALZADA LOPEZ PORTILLO

UNIVERSIDAD

HOSPITAL CIVIL

CRUZ ROJA

FERROCARRIL

AV. RAMON LOPEZ VELARDE

La ciudad de
ZACATECA

26 MEXICAPAN

25 BARRETEROS

23 24 CUITLAHUAC

DEL VERGEL NUEVO

ABASOLO

MATAMOROS

20

21

19

18

PENSADOR MEXICANO

MIGUEL HIDALGO

FERNANDO VILLALPANDO

CJON. DE GARCIA

3

4

2

CJON. DE VEYNA

1

PATROCINIO

17

MERCEDITAS

* TURISMO

AGUASCALIENTES

8

AQUILES SERDAN

6

5

10. DE MAYO

DEL GRILLO

PACHECO

IGNACIO HIERRO

LANCASTER

9

G. PANKHURST

VILLASECA RAMOS

FERNANDO VILLALPANDO

11

10

AV. MIGUEL HIDALGO

TACUBA

ALLENDE

DE L AUXILIO

MIGUEL AUZA

16

DE LA LOMA

CJON DE CUEVAS

INDEPENDENCIA

ALAMEDA

13

AV. JUAREZ

JUVENTINO ROSAS

GARCIA DE

AV. TORREON

ZAMORA

12

MELCHOR OCAMPO

ELIAS AMADOR

AV. MIGUEL HIDALGO

CJON. DEL RESBALON

ZALEZ ORTEGA

ESTEBAN S.

CASTORENA

DIEGO DE IBARRA

15

E. ESTRADA

14

ADOLFO LOPEZ MATEOS

RESTAURANTES

NOMBRE	DIRECCION	TELEFONO	ESPECIALIDAD
La Plaza	Hotel Quinta Real, Av. González Ortega	291 04	Comida Internacional
Los Candiles	Hotel Paraíso Radisson, Av. Hidalgo 703, frente a Palacio de Gobierno	262 89	Comida nacional e internacional
Los Zafiros	Hotel Gallery, López Mateos y Callejón del Barro	233 11	Comida nacional e internacional
Los Colorines	Hotel Aristos, Lomas de la Soledad s/n	217 88	Comida nacional e internacional
Los Geranios	Hotel Plaza, López Portillo s/n	312 19	Comida internacional
La Cuija	Tacuba 5	282 75	Comida internacional
Zacatecas Grill	López Portillo s/n	330 29	Comida internacional
Hacienda del Cobre	López Portillo s/n	313 64	Comida mexicana
Las Pampas	Regeneración y López Mateos	213 08	Cortes americanos
La Parroquia	Callejón de Ruiz s/n	274 14	Mariscos y carnes rojas
Rancho Viejo	Av. Universidad 101	267 47	Comida mexicana
Villa del Mar	Ventura Salazar 340	250 04	Mariscos
Mariscos Cuco's	Héroes de Chapultepec, salida norte 540	289 03	Mariscos
Flipper	López Mateos 248	213 33	Mariscos
Playa Bruja	Plaza Juárez, local 10	286 86	Mariscos
Hostería de la Moneda	Dr. Hierro, frente a Tesorería		Comida regional
Los Balcones	Miguel Auza y San Agustín		Cortes y comida regional
Koko Burguer	Alameda García de la Cadena	201 58	Hamburguesas
Superpizzería	Periférico Díaz Ordaz	267 49	Comida italiana
El Pastor	Independencia 214	216 35	Pollos rostizados
Denny's	Plaza Juárez		Comida Italiana
El Carretero	Arroyo de la Plata 251	215 39	Pollos rostizados; domingos: conejo adobado
El Jacalito	Av. Juárez y Rayón	207 71	Comida mexicana
Burguer King	Plaza Juárez		Hamburguesas
Acrópolis	Av. Hidalgo y Tacuba	212 84	Cafetería
Cafetería Zazz	Av. Hidalgo y Callejón de Cuevas		Cafetería
Burguelandia	Callejón de la Palma 106		Hamburguesas